爱

[英]肖恩·亚瑟 编著

李雅欣 译

湖南美术出版社

·长沙·

【版权所有,请勿翻印、转载】

湖南省版权局著作权合同登记图字:18-2022-040

Copyright © Shaun Usher, 2020. First published in Great Britain in 2020 by Canongate Books Ltd. Copyright licensed by Canongate Books Ltd., arranged with Andrew Nurnberg Associates International Limited. Art direction and design: Rafaela Romaya, 'Embrace' illustration © Paul Thurlby. Simplified Chinese edition copyright 2022 by Hunan Fine Arts Publishing House Co., Ltd in association with Penguin Random House North Asia. All rights reserved.

本书仅限中国大陆地区发行销售

"企鹅"及其相关标识是企鹅兰登已经注册或尚未注册的商标。
未经允许,不得擅用。
凡无企鹅防伪标识者均属未经授权之非法版本。

图书在版编目(CIP)数据

见字如面.爱/(英)肖恩·亚瑟(Shaun Usher)编著;
李雅欣译.—长沙:湖南美术出版社,2022.9
书名原文:LETTERS OF NOTE:LOVE
ISBN 978-7-5356-9792-9

Ⅰ.①见… Ⅱ.①肖… ②李… Ⅲ.①书信集—世界
Ⅳ.①I16

中国版本图书馆CIP数据核字(2022)第074935号

见字如面.爱

JIAN ZI RU MIAN. AI

出 版 人:黄 啸
编 著:[英]肖恩·亚瑟
译 者:李雅欣
策 划:王柳润 瞿 力
责任编辑:潘旖妍 姚 帆
责任校对:何雨虹
出版发行:湖南美术出版社
     (长沙市东二环一段622号)
经 销:湖南省新华书店
印 刷:湖南省众鑫印务有限公司
     (湖南省长沙市长沙县榔梨街道梨江大道20号)
开 本:787mm×1000mm 1/32
印 张:4.25
版 次:2022年9月第1版
印 次:2022年9月第1次印刷
书 号:ISBN 978-7-5356-9792-9
定 价:28.00元

邮购联系:0731-84787105 邮编:410016
网址:http://www.arts-press.com
电子邮箱:market@arts-press.com
如有倒装、破损、少页等装帧质量问题,请与印刷厂联系调换。
联系电话:0731-86807567

2009年,一个庆祝书信这种老式通信方式的网站"lettersofnote.com"上线,"见字如面"计划随之诞生。从那时到现在,该网站已被访问超过一亿次。《见字如面》的第一卷于2013年10月出版。同年晚些时候,我们又举办了第一次"书信现场"活动,让世界顶级表演者为听众们现场朗诵精彩书信。

从此,"见字如面"和"书信现场"这对"孪生姐妹"并肩成长,前者火遍全球,后者在世界各地的许多标志性场馆举办:从伦敦的皇家阿尔伯特音乐厅,到洛杉矶的王牌酒店。

如欲获取更多详情,可访问"lettersofnote.com"和"letterslive.com"。现在,"见字如面"的最新系列还有了音频版可供收听。我们的朗读者阵容人才济济,选自广受好评的"书信现场"演出的固定表演班底。

目 录

前　言　　3

信件 01　注定的美好不会消逝　　8
约翰·斯坦贝克致托马斯·斯坦贝克

信件 02　这爱一点都没法少　　11
西蒙娜·德·波伏娃致纳尔逊·艾格林

信件 03　感受有人爱着你　　16
多萝西·弗里曼致蕾切尔·卡逊

信件 04　我的灵魂备受煎熬　　19
艾萨克·福曼致威廉·斯蒂尔

信件 05　你胜过所有　　23
朱丽叶·德鲁埃致维克多·雨果

信件 06　爱上你之前我从未爱过　　26
弗拉基米尔·纳博科夫致薇拉·斯洛尼姆

信件 07　我们融为一体　　31
茅德·冈致威廉·巴特勒·叶芝

I

信件 08	**我从你身上移不开眼**	34
	西蒙·法洛菲尔德致玛丽·福斯特	
信件 09	**我泪如雨下,泣不成声**	37
	娜杰日达·曼德尔施塔姆 致奥西普·曼德尔施塔姆	
信件 10	**一路向前奔着结婚去**	41
	佐拉·尼尔·赫斯顿致 赫伯特·希恩	
信件 11	**你永远不会远去**	48
	玛琳娜·茨维塔耶娃 致赖内·马利亚·里尔克	
信件 12	**永恒的爱人**	51
	路德维希·凡·贝多芬 致"永恒的爱人"	
信件 13	**今晚我很开心**	56
	安妮·莫罗·林德伯格 致查尔斯·林德伯格	
信件 14	**这是封情书,不是吗?**	60
	约翰·杰伊·查普曼致明娜·蒂明斯	

信件 15	**我爱我的妻子,我的妻子走了**	64
	理查德・费曼致艾琳・费曼	
信件 16	**我的天使,我的爱人**	67
	埃米莉・布拉谢尔	
	致雷米・奥奇力克	
信件 17	**我们面临一个难题**	75
	米尔德丽德・洛文、理查德・洛文	
	致美国公民自由联盟	
信件 18	**如同饿狼看见肉**	78
	阿迪・布朗	
	致丽贝卡・普赖默斯	
信件 19	**你光辉灿烂**	82
	罗伯特・舒曼致克拉拉・维克	
信件 20	**我爱你爱到无法自拔**	85
	詹姆斯・斯凯勒致约翰・巴顿	
信件 21	**到晚霞中寻找我**	89
	埃米致萨姆纳	
信件 22	**烂透了的提议**	91
	伊夫林・沃致劳拉・赫伯特	

信件 23	**我知晓了何为爱**	95
	安塞尔·亚当斯致锡德里克·赖特	
信件 24	**我在截去你**	99
	弗里达·卡洛致迭戈·里维拉	
信件 25	**远离你我什么也不是**	102
	莱斯特·哈尔布赖希	
	致雪莉·哈尔布赖希	
信件 26	**一千个吻,炽热如我的灵魂**	106
	拿破仑·波拿巴致约瑟芬·博阿尔内	
信件 27	**亲爱的,祝你好运**	110
	纳尔逊·曼德拉致温妮·曼德拉	
信件 28	**我爱琼·卡特,非常爱**	115
	约翰尼·卡什致琼·卡特	
信件 29	**一声撕心裂肺的长啸**	118
	薇塔·萨克维尔·韦斯特	
	致弗吉尼亚·伍尔夫	
信件 30	**我会永远陪伴你左右**	122
	沙利文·巴卢致萨拉·巴卢	

一封信是一枚定时炸弹，是一条瓶中信，是一句咒语，是一声呼救，是一则故事，是一段关切的表达，是一次爱的递送，是一种通过文字互相联结的方式。今天，这种简单且非常大众的艺术形式仍是一种有力的沟通手段。不管我们正经历什么样的技术革命浪潮，书信都不会消失，它会像文学一样永远存在。

前　言

生而在世，没有比爱更强大的力量。这股力量将我们维系在一起，在最黑暗的岁月，在最艰难的时刻，它无处不在，给予我们坚持不懈、迎难而上的动力。的确，心中满怀爱意，与另一个人如此深层次地紧密相连，人就会感觉自己有准备且有能力做成任何事，克服人生道路上的任何障碍，必要时还不惜拼死搏斗，只为保护内心深处的所爱。

我敢说，爱是我们拥有的最接近超能力的东西。不过高潮总伴随低谷，变味的爱会迅速逼人屈膝投降，毁掉曾被爱滋养的幸福生活。失去所爱会让内心出现空洞，填补这一空洞的痛苦持续不断且难以忍受，与其他感受都不同，其影响难以言喻。这是失去色彩的生活，如同无声电影。将自己全身心献给爱相当于卸下所有防备,即便冒着巨大的情感风险,我们仍不断追求爱,这正印证了爱所带来的益处不可估量。

爱很特别,难以在纸页上定义,尽管作为唯一真正的宇宙通用语,它已被诠释过不知多少遍。信件作为最私人的通信手段,成了备受欢迎的用来传达爱和谈论爱的媒介也就不足为奇了。这一本收录了一系列信件,描绘了人世间错综复杂的关系,但无一不伴随着爱这一令人神往的能量。其中一封信由父亲写给犯了相思病的孩子,其中的智慧之语定会对各个年龄段的人都有所启迪;有一封信打破了美国的跨种族婚姻禁令,写信夫妇姓洛文(Loving),(这封信)妙得令人难以置信;有一封跟浪漫毫不沾边的求婚情书,写于 1866 年,你可能会读得笑中带泪,长叹一声;还有一封绝望的请求信,由一个逃离苦海的心碎奴隶写给曾帮助他逃离奴隶主的恩人,哀求他帮忙寻找自己的爱人。当然,你还会读到许多真情实感的情书,给爱人的,给逝者的,未曾寄出的。这种通信方式在当代没有替代品,而品读信件也能让包含我在内的上百万人受益匪浅。

2002 年 9 月,我对信件的热衷之情初露苗头,契机是我与一位新朋友的远距离通信,尽管只有十个月。那位朋友当时别无选择,不得不到百里之外安家。那时"社交媒体"这个词尚未传开,电子邮件也像个外星来物,所以选择以"过时的信件"来联系听起来也合乎情理。可没料想到,这些信件居然如此令人愉悦且引人深思,竟为我们日后日渐深厚的情谊拉开了一道完美的序幕。

卡琳娜和我在2012年结婚,这本书献给她。

肖恩·亚瑟

2020年

The Letters

—— 信件 01

注定的美好不会消逝

约翰·斯坦贝克致托马斯·斯坦贝克

1958 年 11 月 10 日

    约翰·斯坦贝克在 1902 年出生于加利福尼亚州，凭借经典长篇小说《愤怒的葡萄》《伊甸之东》和《人鼠之间》稳坐小说巨匠的宝座。不仅如此，他还在 60 岁时获得了诺贝尔文学奖这一得主甚少的殊荣，进一步巩固了自己的地位。如同 20 世纪 50 年代的大多数作家，斯坦贝克热爱信件往来，从同行作家到美国总统，他轻松自如地与形形色色的人维持书信联系。1958 年，即荣获诺贝尔奖四年前，斯坦贝克写下了堪称最出彩且无疑最珍贵的一封信，收件人是他 14 岁的儿子托马斯。彼时，就读于寄宿学校的托马斯迷恋上了一个女孩，他需要一些来自父亲的诚挚意见。

—— **信件正文**

1958年11月10日

亲爱的托马斯：

今早我们收到了你的来信，我会从我的角度回答，当然伊莱恩也会说说她的想法。

首先，如果你坠入了爱河，这是件好事，可以说是人一生能遇见的最美好的事，不要相信任何人对此的贬损。

其次，爱分好多种。有一种爱自私刻薄，索求无度，仅为满足虚荣心，这种爱丑陋且畸形；还有一种爱是你心中一切美好的展现，如善良、体贴、尊重，不单是出于社会礼节的尊重，而是上升到认可一个人的独特与可贵这一层面的尊重。第一种爱会让你身心受挫，虚弱颓丧，而第二种爱能激发出你心中连自己都不曾知晓的力量、勇气、善良乃至智慧。

你说这不是年少无知的爱恋，若你爱得如此深切，那这份感情自然不是儿戏。

不过，我觉得你并非想让我揣测你的感情，对此你比谁都清楚。你求助我是想知道该如何应对，那么请听我道来：

首先要引以为荣，满怀喜悦与感激。

爱的对象是最美好的，尽力不要辜负。

如果你爱上一个人，不妨大胆说出来，只需切记：有些人非常害羞，有时你必须将这份羞涩纳入考量。

女孩能知晓或感觉到你的情感，但通常她们更喜欢听你亲口说出来。

有时，出于种种原因，你的感情可能得不到回应，但无碍于这份感情的珍贵与美好。

最后，我懂你的感情，因为我与你感同身受，并为你拥有这样的感情而高兴。

若能与苏珊见面，我们会很开心，非常欢迎她来。不过招待一事将由伊莱恩一手操办，因为这是她的主场，她乐意之至。她也了解爱，兴许比起我，她能给予你更多帮助。

不用担心失去。对的事自会发生，关键在于不要急躁。注定的美好不会消逝。

爱你，

爸

—— 信件 02

这爱一点都没法少
西蒙娜·德·波伏娃致纳尔逊·艾格林
1950 年 9 月 30 日

　　法国哲学家西蒙娜·德·波伏娃和让·保罗·萨特共度了大半辈子,两人错综复杂又不同寻常的关系在萨特去世的 1980 年终止,持续了 51 年。多年以来,其他情人来了又去。不过在 1947 年,西蒙娜邂逅了纳尔逊·艾格林。她无法抗拒这位美国小说家的魅力,尽管天各一方,她依然与之书信来往了 18 年。1950 年,西蒙娜去了纳尔逊所在的城市芝加哥,这段没有爱意的旅程预示了这段恋情的终结。归途中,西蒙娜给纳尔逊写了一封信。

—— **信件正文**

> 纽约市,林肯酒店
> 1950 年 9 月 30 日

纳尔逊,我最亲爱的甜心:

　　你一离开,就有个满脸微笑的人走向我,给了我这朵美得不可思议的花、两只小鸟和来自纳尔逊的爱。这近乎令我仪态尽失,"不再哭泣"的原则实在太难秉持。事实上,比起冷冷的怒火,我更常以无泪的悲伤应对,直到现在,我的眼睛依然很干,干得同熏鱼一样,但我的心已经成了混浊又软烂的奶油冻。我在机场等了一个半小时,天气使然,来自洛杉矶的飞机无法在大雾中降落。幸亏你离开了,最后的等待总是无休无止,你能来机场已经很好了。谢谢你的花,谢谢你送我来,更不用说别的了。所以我怀抱着紫色的花候机,假装在读一本麦克唐纳的侦探小说。后来起飞了,飞行途中很平稳,完全没有颠簸。我没睡觉,表面装作读完了整本侦探小说,而黯淡又愚蠢的内心一直在爱恋着你。

　　纽约美极了,烈日当空的同时又灰蒙蒙的。这是个多么辉煌的城市！我不想重返布列塔尼旅馆再度心碎，便选了三年前曾下榻的林肯酒店。那时我还不认识这片新大陆上的任何人，也不曾料想自己竟会沉沦于芝加哥。我住了和三年前同样的房间，离天空更近了一些，但仍是同样的天空。再度回到遥远的过去，这种感觉是多么奇异！同三年前一样，我前往林肯美容院。一路顺利，酒店几乎空无一人，美容院也是。随后我给奥尔加买了支钢笔，14美元。感谢你给了我这么多美元，买东西方便不少。接着我在城里沿着第三大道走啊走，两年前的最后一夜，我们曾一起从第三大道的一头走到另一头。在这条大道上，在布列塔尼旅馆边，我发觉你无处不在，记忆悉数浮上脑海。随后我到华盛顿公园散步，那儿有一个跳蚤市场和一个简陋的书画集市，接着我登上第五大道的巴士，望着夜色缓缓笼罩纽约。

现在是九点，我自上飞机后只吃了一小块三明治，飞过瓦班西亚后就再没睡过。我累得不行，便回到房间，边给你写信边喝苏格兰威士忌。现在上床估计睡不着。我感觉纽约围绕着我，身后就是我们的夏天。我要先上床歇一会儿，再下楼到处走走，天马行空肆意想象，直到筋疲力尽。

我不是悲伤，而是麻木，我离自己好远好远，无法相信你曾经离我那么近，现在又离我那么远，遥不可及。我想在离开前告诉你两件事，我保证只说这么一次。首先，我非常希望有朝一日能再次见到你，我愿意且需要见到你。但请你记住，我不会再主动提出想见你，不是出于自尊，你知道在你面前我没有自尊，而是只有当你愿意时我们才会相见。所以我愿意等，等你想见我了就告诉我。我不会因此认定你回心转意又爱上了我，甚至不会认为你想和我同床，我们也不必在一起待很长时间，都由着你的感觉来，等你什么时候想见。但你要记住，我一直在期待你的邀约。不，我无法接受我们将不再见面。我失去了你的爱，这份痛苦现在依然，但我不应该失去你。不管怎么说，你给了我太多，纳尔逊，你给予我的意味着太多，你永远不能将之收回。你的温柔和友谊对我是那么珍贵，每当看到心中的你，我仍觉得温情、幸福、感激之至，我希望这份温情和友谊永远，永远不会抛弃我。至于我，这么说可能令你困扰，我说出来也备感羞耻，但这是唯一真切的真相：我依然像投入你沮丧失意的怀抱时那样爱着你，投入全身心，以整颗黯淡的心爱着你，这爱一点都没法少。但这不会妨碍你。甜心,不要把写信当成苦差,想写的时候就写,你的每一封信都会令我欢欣雀跃。

言语总是词不达意,荒唐可笑。你似乎离我很近,非常近,让我也靠近你。同过去一样,让我永远跟随自己的心声吧。

你的西蒙娜

—— 信件 03

感受有人爱着你

多萝西·弗里曼致蕾切尔·卡逊

1963 年 12 月

  1953 年，在别创一格的重量级巨作《寂静的春天》面世九年前，极具前瞻眼光的海洋生物学家蕾切尔·卡逊收到了一位名为多萝西·弗里曼的粉丝寄来的信，这封信牵动了长达十年的书信往来，两人因此结下深厚的情谊。她们在信件中无所不谈，还曾坦率地谈论到底什么是爱。自第一次接触十年后，多萝西给蕾切尔寄去一年一度的圣诞贺信，这也是她寄给挚友的最后一封信。四个月后，与癌症斗争多时的蕾切尔因心肌梗死并发症离开了人世。

—— 信件正文

亲爱的蕾切尔：

自从第一次圣诞祝福，已经过去十年了。十年后的今天，我还有什么在1953年没有说的话要说吗？用的词说的话可能不同，但主旨依然不变——我需要你，我爱你。那时我需要你的理解，需要除你之外无人能给予的体贴关怀，现在我依然需要那么多，乃至更多。那时我爱你，爱你这个人，爱你展现的全部，现在我依然爱你，心中满怀温暖、真挚与渴望。

因此，我要在圣诞节之际感恩这过去的十年，这十年丰富了，没错，甚至改变了我的人生。这些年哪，对于我们俩都是有喜有忧。我们分享喜悦，也没少分享忧愁。有时我会想，如果没有你源源不断的爱，我该如何忍受深渊。没有你，在那些阴暗的时日里，我会觉得人生不值得过下去。

但是，今夜我不该回忆黑暗，而应当回忆你带给我的种种美好：你带我了解各种形式的自然之美，认识书中的世界和那些世界中的人，体会音乐的陪伴，最重要的是你给予我的生活灵感。对于你带给我的上述这些以及更多无法用言语描述的东西,我的感激之情永无止境。我经常能够潜入记忆深处翻出一个美好的时刻,若试图将记忆分门别类编成目录,那我永远也停不下来。

昨日薄暮之时,西方长空万里无云,夕阳西下,当灼灼余晖透过缅因森林,映照出云杉木的黑色剪影时,简直美得不可比拟。天边夜星初现,像一颗颗小钻石,星光衬出光芒柔和的新月,它即将长成圣诞节的月亮——我们能共赏的月亮(这样就太好了)。新月尖端恰好缀着一颗星星!此情此景,我眼中发生了什么不必告诉你。月亮承诺会在12月30日变成一轮盈盈满月。

无论你在何时读到这封信,我的双臂都环绕着你。请闭上眼睛,感受有人爱着你。

祝圣诞节快乐。

我永远爱你,

多萝西

—— 信件 04
我的灵魂备受煎熬
艾萨克·福曼致威廉·斯蒂尔
1854 年 5 月 7 日

1853 年 12 月，23 岁的艾萨克·福曼抓住一个难得的机会，摆脱了弗吉尼亚州诺福克的奴隶生活，成功逃往加拿大的多伦多。他逃离了侍奉多年的奴隶主桑德斯太太，可令他痛苦万分的是，他也抛下了同为奴隶的妻子。他妻子侍奉的是里士满的另一个奴隶主。艾萨克·福曼留下的人生记录很少，不过多亏这封信，我们了解到没有爱人相伴的生活让他生不如死。这封信的收件人是威廉·斯蒂尔，"地下铁路"的著名领头人。"地下铁路"是一个帮助非裔奴隶逃亡的秘密组织，打通了诸多线路，帮助包括福曼在内的上千名奴隶逃离了为奴的非人生活。

―― **信件正文**

多伦多
1854 年 5 月 7 日

敬爱的威廉·斯蒂尔先生：

我借此机会给您写几句，希望您收到信时平安无恙。我本打算早些时日给您写信，但前段时间我一直在等朋友布朗先生的消息，因为他好一阵子没来信，我认为他的事更为要紧。敬爱的先生，在这种情况下，除了死亡，没有什么能让我停笔。

我的灵魂备受煎熬，我的痛苦无以言喻。我总想着去死。总之，我宁愿死也要见到我的妻子。为了见到她，我甘愿付出一切，只要能凝视她甜美的双唇哪怕一刻，我就愿意在下一刻奔赴死亡。我下定决心，早晚有一日一定要见到她。再次为奴，光想想都令人痛苦万分。希望在再度成为孤身一人前，天堂能向我微笑，那时我会立刻离开加拿大，去哪儿不好说，也许是幽明永隔的海底。倘若我逃离时知道得像现在这么多，那在想方设法带她和我一起走之前，我断然不会离开。您从未像我一样，经受过和妻子天各一方的痛苦，这种痛堪比乃至超过死亡。所以希望您能尽己所能帮助我，如果无能为力就请问问您的朋友。拜托您在收到这封信后立即回信，说些什么鼓舞我低落颓丧的精神。您能否帮我去见一见布朗先生，问问他能否帮我去里士满见见我的妻子，看看能怎么安置她？我愿意承担他往返的所有开销。也拜托您去见一见巴格内尔先生和明金斯先生，问问他们是否见过我的妻子。就算下一刻死亡，我也一定要见到她。我的确一度欢欣喜悦，但再也不会了，除非见到她。倘若知道妻子还在做奴隶，那对我来说自由何在？几周前您走海路运来的那些人停留在圣凯瑟琳，没有来多伦多。我上周给您寄了两封信，希望您能回应。邮局关门了，我在信里附了邮费，希望您尽快回信。

您永远的忠诚奴仆，
福曼

总之,我宁愿死也要见到我的妻子。

——艾萨克·福曼

―― 信件 05

你胜过所有
朱丽叶·德鲁埃致维克多·雨果
1835 年

直到 1883 年逝世前,50 年间,法国女演员朱丽叶·德鲁埃一直是《悲惨世界》的作者维克多·雨果的情人。两人邂逅于雨果执笔、朱丽叶出演的歌剧《鲁克蕾齐亚·波吉亚》幕后。那时是 1833 年,雨果的妻子阿黛尔·富歇正与文学评论家夏尔·奥古斯丁·圣勃夫有婚外情,因此雨果也毫不顾忌地展开了与朱丽叶的恋情。半个世纪间,朱丽叶全身心爱慕着雨果,每天都给他写信,还常常不止一封。她的成千上万封情书留存至今,以下只是其中一封。

―― 信件正文

> 周五晚 8 点

我光彩照人的鸟儿,若我是个聪慧的女人,就能描述出形貌、羽毛与歌声之美如何集于你一身。我会告诉你,你是跨越所有年龄最为扣人心弦的奇迹,我应该只陈述这简单的事实。不过若要寻得恰当的词句,我至高至美的存在,我需要一副比上天赐予我族的更为悦耳动听的歌喉——因为我是一只刚被你嘲笑过的卑微猫头鹰。因此,我没法说。我无法告诉你,你是多么光彩夺目、灿烂辉煌。我将这些话留给歌声甜美的鸟儿来说,你知道的,美丽动人、引人欣赏的鸟儿。

我乐于将观赏、聆听、仰慕的职责委托给它们,但我自己要保留爱的权利。这么做对耳朵来说或许略感不悦,但对心灵来说要甜美得多。我爱你,我爱你,我的维克多。我不能三番五次重申,我永远无法尽数表达自己的感受。

我在自身所处的一切美好之中认出你——形貌、色彩、羽毛、悦耳的声音,无一不蕴含你之于我的意义。你胜过所有。你不仅是闪耀七色光芒的太阳光谱,你就是太阳本身,发光发热,复苏大千世界!这就是你,而我是个仰慕你的卑微女子。

朱丽叶

—— 信件 06

爱上你之前我从未爱过
弗拉基米尔·纳博科夫致薇拉·斯洛尼姆

1923 年 11 月 8 日

  弗拉基米尔·纳博科夫和薇拉·斯洛尼姆长达 50 年的姻缘常为世人所乐道。两人均出生于俄罗斯的圣彼得堡，纳博科夫出生于 1899 年，薇拉比他小 3 岁。据纳博科夫所言，两人邂逅于 1923 年柏林的一场舞会，薇拉戴着丑角面具，背了一首由他创作的诗歌。两年后两人结婚，纳博科夫专注于创作旷世巨作，而薇拉兼任他的决策咨询人、灵感缪斯、编辑、译者、司机以及经纪人，据说还是他的武装保镖。薇拉甚至从火中抢救出了丈夫的杰作《洛丽塔》的手稿，这份稿件曾多次差点被疑虑重重的纳博科夫毁掉。薇拉是纳博科夫的一切，反之亦然。纳博科夫给妻子的无数封情书满溢爱慕之情，以下这篇写于初次相遇数月后的情书便是绝佳典例。

―― **信件正文**

>兰德豪斯大街 41 号
>柏林西区
>1923 年 11 月 8 日

你是我的幸福，灿烂而奇妙的幸福，我该如何向你解释，我的一切难道不都属于你？包括我的记忆、诗歌、情感的迸发和内心的旋风。我该如何告诉你，听不到你的声音，我便写不出一个词。回想历经的每一件琐事都后悔不迭，如千刀万剐，因为那些事我们没有共同经历，无论是那些最为私密且不可言喻之事，或仅是道路拐弯处的日落或别的什么。我的幸福，你明白我的意思吗？

我知道，用言语难以告诉你一切。当我在电话里试着这么做时，说出口的话完全偏离本意。因为和你说话要妙语连珠，这种交谈方式早已消失，你明白我的意思吗？就是话语要纯净、轻盈且切中心灵。可是，我一派胡言乱语。我的爱人，你可能被一个不雅的指小词[1]伤到，因为你太过敏感，太易共情，就像海

---

1. 指小词（diminutive）:指英语词汇的一种形式。通常带有"小"或"微"意的后缀，有时有昵称或爱称的含义。

水一样。

我发誓——墨迹与此无关——我用全部所爱所信发誓——爱上你之前我从未爱过——如此柔情蜜意——如此热泪盈眶——又如此容光焕发。在这一页上,我的爱人,我本打算给你写一首诗,可纸上不够写了,剩下这么个小尾巴拖在后头——我失衡了。最重要的是,我希望你幸福,而且我似乎觉得我能带给你幸福,阳光明媚、纯粹简单的幸福,而不是那种平平无奇的幸福。

请原谅我不够大气,实际上,我正心烦意乱地在想,明天该怎么寄出这封信。我早已准备好为你奉献全身热血,若有必要这么做。这难以解释,听起来平平淡淡,但这就是我的信念。此刻,我要告诉你——我心中的爱足以充盈十个世纪的火焰、歌声与勇气——整整十个世纪,广博而高远——满是冲上灼目山岗的骑士——有关巨人的传说——勇猛的特洛伊战士——橙色的风帆——海盗——还有诗人。这并不是文学,因为若你细心重读,你会发现原来骑士们都很胖。

不,我只是想告诉你,我无法想象没有你的生活,尽管你会觉得对我来说,两天不见你是种"乐趣"。你知道，发明电话的根本不是爱迪生，而是一个安静矮小的美国男子，没人记得他的名字。他活该。

听好，我的幸福，别再说我在折磨你了，好吗？我多么想把你带走。你知道过去拦路抢劫的强盗是什么模样：一顶宽边帽，一个黑面罩，一支粗实的火枪。我爱你，我渴望着你，我不可遏制地需要你……你的眼睛，在吃惊时闪闪发亮，你后仰着脑袋，说着些妙趣横生的话语。你的眼睛、你的嗓音、你的嘴唇、你的双肩——如此轻盈，如此光彩……

你走进我的生命，不是登门拜访（你知道，"并非慕名而来"），而是来到一个王国，所有河流都期待映照出你的容颜，所有道路都期待承接住你的脚步。命运想纠正自己的错误，仿佛在请求我谅解过去所有的欺骗。所以说，我的童话，我的太阳，我如何能离开你？你知道，我若爱你少一点，就会不得不离去，但这样毫无意义。我也不想死。有两种"无论如何"，一种不由自主，一种刻意为之。原谅我，因为我靠后者为生。你不能夺走我不敢深思的信念——这信念令我无比幸福。

这儿又是一条小尾巴。

没错：老派的娓娓道来，纯朴无华……

　　心由此更为激昂：钢铁，因飞行而白热……

　　这原是一首长诗的一个片段，但没有用上。我曾一度记下，以免忘记，现在它出现在了这儿——一个碎片。

　　这些都，我躺在床上写的，信纸摊在一本大书上。每当工作到深夜，墙上的一些肖像（我们房东的曾祖母什么的）就会紧盯着我，弄得我心里发毛。好在快写完这小尾巴了，真闹心。

　　我的爱人，晚安……

　　不知你能否看懂这封词不达意的信。不过没关系，我爱你。明晚11点我等你，或9点后给我打电话。

弗

—— 信件 07
我们融为一体
茅德·冈致威廉·巴特勒·叶芝

1908 年 7 月 26 日

　　1891 年、1899 年、1900 年、1901 年，十年跨度间，荣获诺贝尔奖的诗人威廉·巴特勒·叶芝曾向爱尔兰独立分子兼演员茅德·冈求了四次婚，可很遗憾次次遭拒。雪上加霜的是，茅德·冈在 1903 年接受了另一个男人——约翰·麦克布莱德少校的求婚，打破了她出于个人原因不愿结婚的猜测。此后，茅德·冈和叶芝依然关系密切，多年来一直作为叶芝的灵感缪斯，启发了他的诸多诗作。两人还都对神秘学颇感兴趣。1908 年 7 月，在两人的关系彻底圆满几个月前，茅德·冈给叶芝写了一封信。

—— 信件正文

巴黎

1908 年 7 月 26 日

威利：

我没有花一周，而是在一天内写下了这封信。昨夜的经历太过奇幻美妙，我想立刻知晓你是不是也感觉到了，怎么感觉到的。不过最重要的是，我不想让任何事使你在工作时分心，或让你的工作变得难熬——那场表演一定会非常精彩，拔得头筹，现在不该受任何妨碍。

昨夜 11 点差一刻，家里的人都走了，我想让精神化作星光，去往你身边。那时并非你的工作时间，我想到你身边去，兴许能给你留下些我的活力与能量，好让你次日的工作不用那么辛劳。前一日醒来时，我看到一个宛若出自埃及神话的奇异形象飘浮在我上方（如同布莱克所绘的灵魂出窍的画作），它身着飞蛾聚成的轻盈长袍，翅膀精细入微，灵活的卷边镀了金。我本以为这是我自己，我的另一具身体，我可以离开肉体进入它。昨夜 11 点差一刻，我用上这具身体,深深地思念你,渴望去你身边。

　　我们去了太空中的某个地方,不知道是哪儿,我感受到了耀眼的星光,聆听到了下方的海浪。你的形象似乎是一条大蛇,但我说不准。我只看得清你的脸,当我望入你的眼眸深处时(如同在巴黎你问我在想什么时一样),你的唇触上我的唇。我们融入彼此,化为一体,成为一个更大的存在,能以双重强度感受一切,了解一切。钟声敲响11点,打破魔咒,当我俩分开,我的生命仿佛从胸口抽离,近乎牵出生理上的痛楚。我又找了你两次,每次都一样,被房屋中的些微响动拉回现实。随后我上楼,上床,梦到了你,有关日常生活的混乱梦境。我们一起在意大利(我想这取材自你的信,我睡前又读了读),谈笑风生,聊着我刚描述的不可思议的精神体验。你说这会增加生理欲望,让我有点蒙,因为这一结合完全不涉及物理层面,与之相比,物理上的结合不过是黯淡的阴影。快点给我回信,告诉我你对此有无了解,你怎么想,我能否再以这种方式去到你身边。在收到你的消息前应该不会了。我的思绪永远与你同在。

茅德·冈

—— 信件 08

我从你身上移不开眼

西蒙·法洛菲尔德致玛丽·福斯特

1866 年 11 月 29 日

1866 年 11 月 29 日,在米德尔斯穆尔的约克夏村,一个名为西蒙·法洛菲尔德的中年农民鼓起勇气求婚,没有当面,而是经由情书,没有给极为熟识的人,而是给了当地一个年轻女子玛丽·福斯特。玛丽因其个性多次吸引了西蒙的目光。令人稍感意外的是,玛丽拒绝了西蒙"慷慨"的求婚。至于西蒙的备选方案成功与否,那就是另一个问题了。

—— 信件正文

亲爱的姑娘：

我现在落笔写下这封信，希望你在读到从我这儿寄出的这一行行字时平安健康。感谢上帝保佑。你也许会惊讶，我竟胆敢给你这样一位女士写信，希望没有惹恼你。我都不敢说出我想要什么，面对女士我一向害羞，内心战栗不已。但我曾在书中读到，一个懦夫永远不会得到一位淑女，所以有了这封信。

我是个小农场的农民，今年四十多岁了。母亲和我住在一起，帮我料理家事。她最近身体状况很糟，腿脚不灵便，我想有个妻子生活能更如意些。

我从你身上移不开眼，已经很久了。我想你是个极好的姑娘，只要你愿意，就能给我带来无限快乐。我家有个女仆，她给三头牛挤奶，干些家务，她会在夏天出门收集柳条，还会去后院拔萝卜。我在农场自己干一些活，有时会带几只羊去佩特利集市。每逢圣诞节我会养三四头猪，在家做馅饼、蛋糕等食物时就能派上大用场，我能拿卖火腿的钱去买大麦粉。

我在奈斯布罗银行有 73 英镑存款。家里一楼有个漂亮的小客厅，铺着蓝色地毯，壁炉的一边有个烤箱，我的老母亲会在另一边吸烟，高背长椅靠着的墙上挂着"金科玉律"。你可以一整天坐在安乐椅中，补我的水壶和裤腿，你可以在我每次回家前沏好茶，你还可以制作奶酪拿到佩特利集市上去卖。每周日，我可以驾驶弹簧马车载你去教堂。我会不遗余力做一切能让你开心的事。所以我怀着一颗迫切而真挚的心，希望得到你的答复。我愿在五月一日那天娶你，若我母亲在那之前离世，那么可以更早。亲爱的，只要你愿意接受我，我们就能过上非常幸福的生活。

希望你能回信，告诉我你的想法，若你愿意，我会礼尚往来。此刻没什么要多说的了，祝你一切安好，你的真爱——

西蒙·法洛菲尔德

另：希望你不要介意。如果你不愿意接受我，我还看中了另一个不错的女人，你不愿嫁我的话，我就会娶她。但我觉得你更适合我母亲，她经常脾气不太好。所以在你来之前我就告诉你，她会是家里的主人。

—— 信件 09
我泪如雨下,泣不成声
娜杰日达·曼德尔施塔姆致奥西普·曼德尔施塔姆
1938 年 10 月 22 日

  1934 年 5 月 13 日,在写诗讽刺斯大林并念诵给几位朋友听大概一年后,那个时代的苏联诗坛巨匠奥西普·曼德尔施塔姆被捕入狱。幸运的是,他免于死刑,而是与妻子娜杰日达一同被流放至苏联的沃罗涅日。1938 年,幸运女神不再眷顾,这位诗人再次遭到逮捕,被强制送往劳改营,最后惨死营中。1938 年 10 月,在他去世两个月前,妻子娜杰日达给他写了一封信。娜杰日达继续过着流放生活,直到 26 年后才得以重返莫斯科。她最终在自己 1970 年的回忆录中记述了两人的故事,心中仍怀一丝希望。

—— **信件正文**

1938 年 10 月 22 日

奥西普，我远方的至爱！

亲爱的，我不知如何下笔，写下这封你可能永远都读不到的信。我正将之写入虚空。也许你会回来，可我已不在这里，那样这封信就会成为你想我时的唯一纪念。

奥西普，能像孩子一样生活在一起是多么快乐——每次口角，每次争辩，玩的每一个游戏，彼此毫无保留的爱。现在我甚至无法仰望蓝天，倘若看见一片云，我又能指给谁看呢？

还记得我们怎么将食物带回小家，在那如游牧民一般搭起的帐篷里，共享一道寒酸的盛宴吗？还记得那次奇迹天降，我们得到一块面包，一起享用时那美妙的滋味吗？还有我们在沃罗涅日共度的最后一个冬日，那贫寒而快乐的日子，以及你写下的诗篇。我记得我俩从浴室走回住处，手拿一些鸡蛋和香肠，一辆满载干草的运货马车从旁驶过。那时依然天寒地冻，我穿着短夹克瑟瑟发抖（但再苦也不及当下难熬，我能想见你现在有多冷)。那些时日的回忆涌上心头，我看得明明白白，那痛苦依然扎心。我知道那年冬天，尽管千磨万难，已是上天赐予我们的最美且最后的快乐时光。

我的所思所想全是你，我的每滴泪、每个笑都为你。我求上帝保佑我俩在一起过苦日子时的每分每秒，我的甜心，我的伴侣，我看不到路时的人生向导。

我们就像两只失明的小狗，用鼻子蹭弄彼此，感觉在一起是那么美好。你可怜的脑袋曾是那么狂热，那相处的日子曾被我们如此疯狂地挥霍。那是怎样的快乐?! 我们该如何在任何境遇下都知晓那是怎样的快乐?!

生命能持续太久，孤零零地死去对我们任何一人来说都是那么痛苦，那么漫长。不可分离的我们非得面对这样的命运吗？如小狗和孩童般的我们，非得遭这份罪吗？我的天使，你非得受这样的苦吗？一切仍会照原来的轨道运行，我一无所知。可我又知晓一切，在谵妄之中，关于你的每分每秒于我而言都历历在目，一清二楚。

每一夜，你都会来到我的梦中，我不停问你发生了什么，可你从不答复。

上一次梦里，我去一家脏兮兮的餐馆给你买吃的，身边全是陌生人。买好东西后，我忽然发觉不知该带到哪里去，因为我不知道你在哪里。

醒来后，我对舒拉说："奥西普死了。"我不知道你是不是还活着，但从那次梦起，我失去了你的音讯。我不知你在哪里。你能听到我吗？你知道我有多爱你吗？我没法告诉你我有多爱你，甚至现在也说不出。我只对你讲，只对你。你一直与我在一起，我这样一个狂野、易怒、从不轻易流泪的人，现在泪如雨下，泣不成声。

是我，娜杰日达。你在哪里？

再会。

娜杰日达

—— 信件 10
一路向前奔着结婚去
佐拉·尼尔·赫斯顿致赫伯特·希恩

1953 年 5 月 7 日

1920 年,日后将成为"哈莱姆文艺复兴女王"的佐拉·尼尔·赫斯顿正在华盛顿特区的霍华德大学读书,29 岁的她在这一年邂逅了赫伯特·希恩,一位小她 6 岁的爵士钢琴家。相识后,两人陷入热恋,形影不离,并于 1927 年正式结为夫妻。不过,4 年后两人决定分道扬镳,但在余下的人生和后续的婚姻中一直作为关系密切的朋友定期联系。1953 年,赫伯特告诉了佐拉自己正面对的感情问题:他想离开第二任妻子奎恩洛克,再娶一位"年轻女士"。以下是佐拉的答复。

—— **信件正文**

> 佛罗里达州,奥加里
> 1953 年 5 月 7 日

亲爱的赫伯特:

非常感谢你有关"焦虑"的建议,真的管用。你怎么知道这正合我需?你是根据我信里的内容下的诊断,还是想到这可能是我需要的?你真是个医术高明的医生。

针对神职人员的回应,你所下的结论条理清晰。没错,毕竟他们只是人,典型的人性一个不缺。他们无法承认自己几年前在得克萨斯州泰勒镇可能言行欠妥。"权威"对于阶级制度来说弥足珍贵,他们不会轻易将其削弱,哪怕只是一点点。那边教堂的牧师可能会说你的情况同风流韵事缠身的亨利八世一样,并依此提出建议。我听说奎恩洛克指责你,说你在经济上有所成就后就自命不凡,一心想整垮任何胆敢和你叫板的人。她一定对教堂的神父哭诉过。告诉你一件事,以免你不知道:主理离婚纠纷的罗马圣轮法庭持如下立场,批准离婚的唯一根据是结婚的一方并非真心想落实这段婚姻关系，换句话说就是虚情假意，不以"神圣"的结合为目的，而是别有所图。当你去见富尔顿·J.谢恩主教时，切记我刚说的话。我从没见过他，不过听克莱尔·布思·卢斯说起过。根据我的听闻，我想相比小人物，与他倾诉你会被更好地理解，他是个与时俱进而非拘泥于传统的人。

今天范·G.沃利公司的伯奇先生拿了概览给我看，共41页，上溯至佛罗里达仍属于西班牙的时期，持续至1953年。房地契清晰明确，不牵涉财产留置权问题，只有一笔1953年11月1日到期的16.5美元的税款。合同已送去皮尔斯堡让托马斯·R.巴尔签字，我最迟这周会拿到复印件，收到后我会发你一份让你过目。公司一直说服我将这片地打造成一个公共住房建造项目，但我现在更想将之种植成1英亩（约4047平方米）美丽的杧果林和兴许5英亩（约20234平方米）的橙子。市场对浓缩橙汁的需求似乎无穷无尽，价格很不错。因为我发现浓缩橙汁能以低损耗便利地经由海运运往全国乃至全球，橙子市场现在一片繁荣。大公司会来果园收购，把相关的事都打理好。

你说的事的确与我无关，不过我要是你，就不会被教堂的戒律吓住，如果真心想，我会一路向前奔着结婚去。在我看来,牧师们不过是男人,他们没有你人生在世的经历以及与女人相处的体验,他们的指引管控发于理论而非实际,他们与上帝的联系并不比你更紧密。我一直相信罗马天主教会在给人提供精神慰藉这点上是最了不起的机构,但我从未忘记这根本上还是人类所建。牧师曾训斥我总是理智当先,没有百分百虔诚地信仰宗教,然而这是我的思想体系所不容许的。

赫伯特,上帝的概念于我而言是这样的:他全知全能,他想让人类知道一些特定的原则并在言行举止上受之指引,却又只揭示给了极少数人。既然他的意志如此重要,那为何不能直接揭示给所有人?为何他要让自己总是被轻易误解?为何有那么多种宗教?为何在某一夜向一个阿拉伯人揭示自身的存在,在另一夜又对一个高加索人揭示?为何对印度人是一夜,对蒙古人又是另一夜?这一点我无法拥护。对我来说,这些不同的道路证明了,人类在缺乏任何确切证据的前提下,以各自的方式探寻神的概念。我不相信有任何长着胡子的神明坐在云端。神是一个完全由人类创设的拟人化概念,上帝的形象来自人类自身。在我看来,宇宙间存在万事万物都得遵循的法则,这一法则如何阐明我不知道,尽管我很想知道。我们混淆了人类的社会制度安排和神学。我感知不出法则是想让你和奎恩洛克还是和"年轻女士"繁衍后代,你无法否认身体促使你复制自身的内在驱动力,这种内驱力尚未被人类现有的理论颠覆(在我看来,这正印证了我的这一观点:对于自己掌管的万事万物,法则清晰明确,没有歧义),也与人类的社会便利无关,而人类社会就是靠繁衍壮大起来的。婚姻和社会法律最初的发展就是为了保护孩童和母亲。不要否认自己,认为自己不该得到此生想要的女人,心怀念想她会是自己上天堂后的礼物。我没去过天堂,但有人曾对我轻声耳语,说天使都没有性器官,也许这就是为何基路伯天使只有脑袋。明白这样下去的后果吗?你和你的"年轻女士"会在死后相逢,一个头碰另一个头,下巴下面全是翅膀,这还有何乐趣?伊斯兰教是一个更为切实的宗教,顺应自然天性,而非刻意自设罪过自讨苦吃。罪过是人类设立的,而非上帝。极端虔诚的人不是施虐狂就是受虐狂,有时两者皆是。他们喜欢折磨或惩罚自己,当发现你没有同样自我折磨时,他们就会陷入狂热,千方百计要让你饱尝他们的报复心。爱洛绮丝和阿贝拉尔声名远扬的恋情在我看来是个彻头彻尾的悲剧,两人都愚蠢至极,竟花大把时间自我谴责,而非女方抛开面纱,男方踏出修道院,继续谈情说爱寻欢作乐。人们浪费太多时间纠结一段恋情能否持续。在恋情持续时就尽情享受,恋情结束后也不要为之后悔。这就是奎恩洛克和我的根本差异。我回顾与你共度的日子,视之为一段不后悔的快乐时光,而她却一肚子苦水和怨恨,仅仅因为爱没有持续。当爱情不再令人愉悦时就不应当延续。所以说,她没有爱人的能力,只是一个占有欲强的疯子。这样的事发生在很多人的爱情之中。

祝你好运,早日自由!

你的挚友,
佐拉

人们浪费太多时间纠结一段恋情能否持续。在恋情持续时就尽情享受,恋情结束后也不要为之后悔。

——佐拉·尼尔·赫斯顿

—— 信件 11

你永远不会远去

玛琳娜·茨维塔耶娃致赖内·马利亚·里尔克

1926 年—1927 年

  诗坛巨匠赖内·马利亚·里尔克和玛琳娜·茨维塔耶娃从未见面,且只通信了 8 个月,但两人的信件显露出了深厚的情谊。1926 年 4 月,同为诗人的鲍里斯·帕斯捷尔纳克通过信件介绍两人相识,里尔克在给茨维塔耶娃的第一封信中附上了自己的签名作品,茨维塔耶娃对此回应:"你就是诗歌的无上化身。"不久后,里尔克开始寄去新近创作的诗歌,专为茨维塔耶娃而写。可惜两人的恋情之花永远没能盛放。同年 12 月 29 日,里尔克死于白血病。他已与病魔斗争多时,并已告知茨维塔耶娃做好心理准备。里尔克去世两天后,茨维塔耶娃开始为他写最后一封信,这封从未寄出的信一个多月后才完成。

—— 信件正文

贝尔维尤

1926年12月31日—1927年2月8日

这一年以你的逝世作为终结吗？是终结吗？是开端！你本身就是崭新的一年（亲爱的，我知道你读这封信早于我写下它）。赖内，我在哭泣，你从我眼中流泻而出！

亲爱的，在你死后就不再有死（也不再有生）！我有什么可说？萨伏依的那座小镇——何时？何地？赖内，那个容纳了我俩梦境的"巢穴"又该怎么办呢？现在俄语对你来说已是一本展开的书，你知道俄文gnezdo即巢穴，还知道其他许多。

我不想翻阅你的旧信，不然我会追随你而去，去到你那儿，可我不敢这么想，你知道这么想意味着什么。

赖内，我始终感觉你在我的肩膀上。

你曾想过我吗？想过，你当然想过。

明天是新年，赖内，1927年，7是你最钟爱的数字。你出生于1875年（报纸称？），享年51岁？

我是多么黯然神伤！

悲痛何妨！今日午夜我将与你共饮（你知道我如何干杯——轻轻一碰）。

我的爱人，常来我的梦中吧，活在我的梦中吧。如今你有权许下愿望，实现愿望。

你我从未相信我们在世间的相逢，也从未相信此世的生活，不是吗？你，先我而去（这样更好），为了迎接我，你准备的不是一间屋，不是一栋楼，而是一整片美景。我亲吻着你……吻你的唇？你的鬓角？你的前额？当然是双唇，实实在在地，如同吻一个活人。

亲爱的，更用力地爱我吧，不同于任何人地爱我吧。别生我的气。你必须习惯我，习惯这样一个我。还有什么？

不，你尚未高飞，也尚未远走，你近在身旁，额头靠在我肩上。你永远不会远去，永远不会高不可即。

你是我可爱而成熟的男孩。

赖内，给我写信吧！（愚蠢的请求？）

新年快乐，愿你享天上美景！

玛琳娜

赖内，你仍在人世，二十四小时还没过呢。

—— 信件 12
永恒的爱人
路德维希·凡·贝多芬致"永恒的爱人"
1812 年 7 月

　　德国作曲家路德维希·凡·贝多芬于 1827 年 3 月逝世,享年 56 岁。他不仅留下了经久不衰的音乐瑰宝,还留下了世上最具盛名且备受热议的几封情书。这些情书是在他逝世不久后,由一位好友在他的衣柜暗格中发现的,一同发现的还有其他一些私人信件。情书未注明日期,不过根据水印,可知其写于 1812 年。贝多芬曾在捷克的特普利采养病,据推测,在康复后的那两天,他写下了这几封未曾寄出的情书。没有姓名的收件人的信息,即贝多芬"永恒的爱人",至今仍是谜团。

—— 信件正文

> 7月6日，早晨

我的天使，我的一切，我的自我。今天我只简单写几句，用的还是你的铅笔。我的具体住所要到明天才能确定，这样的日子真是虚度光阴。有些事必会发生，可为何忧伤还是如此深切？

我们的爱情，除了牺牲和不求全外，还有什么办法能天长地久？你不完全属于我，我也不完全属于你，这一事实你要如何改变？哦，上帝啊，凝望美丽的自然，平心静气地面对躲不过的事实。爱情要求一切，这天经地义，正如你之于我，我之于你。可你总是轻易忘记，忘记我必须为你我而活。倘若我们融为一体，你和我就都不用常常经受这种痛苦……

……不久后我们就会相见，这几日来我对生活的感触，就算今日也无法一一告诉你。如果我们心心相印，那我也许就不会有这样的感触。我满怀心事想向你倾诉，可又时常感觉语言苍白无力，不足以表情达意。一定要快乐，永远做我诚挚且唯一的真爱，你是我的一切，我也是你的全部。我们应得的东西，神明一定会赐予。

> 忠诚于你
> 路德维希

* * *

7月6日,周一晚上

我最亲爱的宝贝,你受苦了。我才知道,邮件必须早早寄出。周一和周四,只有这两天才有从这儿到你那儿的邮车。让你受煎熬了。哦!无论我在哪儿,你都在我身边,我会想办法与你共同生活。人生啊!

没有你的日子,我到处被人们的善意追随,他们所求甚少,这种人对于人的谦卑,使我心痛不已。当我体察自己与偌大宇宙的联系,我是什么,而世人所称的伟人又是什么?这里涉及人类的神圣性。当想到你可能周六才能收到我最早发出的信,我难过得落泪。你对我固然有爱,但我爱你更深。在我面前,永远不要隐藏自己。晚安!我刚洗完热水浴,必须去睡了。上帝啊,我们相隔这样近,却又这样远!我们的爱虽不是天堂中的真实建筑,却如天堂的城堡一般永恒。

***

7月7日,早上好

我永恒的爱人,虽然尚未起床,可我的种种思绪都围绕着你,时而喜悦,时而悲伤,等待命运的讯息,不知它是否会顺应我们的心声。若不能彻底与你生活在一起,我根本就活不下去。是的,我决定四处漂泊,直到投入你的怀抱,能自称是你的家人,让你的灵魂紧紧裹住我的灵魂,送入精神之境。没错,很遗憾,非如此不可。你定会比我更坚定,因为你知道我对你的忠心:绝对不会再有别人占据我的心,不会,永远不会!上帝啊,一个人为何非得和深爱之人离别?我在维也纳的生活是如此悲凉凄惨。你的爱让我成了世上最幸福的人,也让我成了世上最痛苦的人。到我这个岁数,生活需要稳定安宁,而依我们目前的情况,这可能吗?我的天使,我刚打听到每天都有邮差,所以我必须就此搁笔,好让你尽早收到这封信。今日,昨日,静下心来,爱我。

我思念你,泪如雨下。你,我的生命,我的一切,再会!要继续爱我,不要怀疑那颗最真挚最忠诚的心。

你的爱人
路

永远是你的。
永远是我的。
永远是彼此的。

—— 信件 13

今晚我很开心

安妮·莫罗·林德伯格致查尔斯·林德伯格

1944 年 7 月 2 日

    1944 年 7 月 2 日,在乘坐火车从芝加哥前往旧金山的旅途中,作家兼飞行员安妮·莫罗·林德伯格给自己的丈夫查尔斯·林德伯格写了一封信。查尔斯是一位航空先驱,曾在 1927 年驾驶圣路易精神号从纽约飞往巴黎,成就举世瞩目。两人相伴到老,直到查尔斯于 1974 年去世,在此之前两人都有过外遇,查尔斯除妻子外还与别的女人有几个孩子。两人共育有 6 子,其中儿子小查尔斯在 20 个月大时不幸被绑架,即使当时的媒体报道铺天盖地,称之为"世纪案件",可小查尔斯依然惨遭杀害。

—— 信件正文

> 7月2日,从芝加哥开往旧金山的火车

亲爱的查尔斯:

我正一路西行,渴望见到你。我感觉自己真是个恣意妄为、感情用事的疯子,居然坐上疾驰的火车跨越整个国家,明明没把握何时何地能见到你。

但今晚我很开心。我坐在座位上,望着夜幕下爱荷华州连绵不绝的玉米田,看到一个个农庄从窗边经过——一栋白色的房子,一个红色的谷仓,一片勇敢无畏的绿树林屹立在海洋般的玉米田间,如同沙漠间的一片绿洲,还有马匹光滑油亮的侧腰,玉米闪闪发亮的叶片。我倾倒于曾与你无数次从上空飞过的这个国家的美丽与富饶,倾倒于我们共同历经的生活的丰富多彩,倾倒于那些起飞的清晨,那些俯瞰仍留有最后一缕日光的江河湖泊的夜晚,那些降落的雏菊花田,还有那些灰蒙蒙的降落场和跑道。这些记忆包含无数片天空,无数片大地,无数个白昼,无数个星夜。"世上的水为何甘甜——若我们要死去,就将之饮下。哪怕犯下罪过,或彼此分离——哪怕命途多舛,或众叛亲离——那我们也已尝过幸福的滋味——必被列入受庇护者的名录。我们已得到生命的所有馈赠,已食下智慧之树的果实,已了然于心——我们即是宇宙的奇迹。"[1]

晚安——

安妮

---

[1] 原文节选自信件《这是封情书,不是吗?》,写信人约翰·杰伊·查普曼,全文可见本书信件 14。——编者注

我倾倒于曾与你无数次从上空飞过的这个国家的美丽与富饶。

——安妮·莫罗·林德伯格

—— 信件 14

这是封情书,不是吗?
约翰·杰伊·查普曼致明娜·蒂明斯

1892 年 9 月 21 日

　　诗人约翰·杰伊·查普曼 1862 年出生于纽约。25 岁时,他用一根手杖教训了天文学家珀西瓦尔·洛厄尔,因为此人欺凌了查普曼当时的女友、未来的妻子明娜·蒂明斯。后来才知,洛厄尔是被冤枉的,得知此事的查普曼将手伸入火中惩罚自己,严重烧伤,以至于不得不截肢。明娜没被这样疯狂的举动吓跑,反而在次年嫁给了查普曼。1892 年,查普曼给妻子写了下面这封情书。多年间两人互通了无数情书,直到明娜在 1898 年死于难产。

—— **信件正文**

> 科罗拉多州,利特尔顿
> 1892 年 9 月 21 日

我封上每一封信件,心想事情办完了——接着喜悦如潮水般涌来——记起你——唯有你,我的明娜——还有生命的喜悦。自世界之初,你在哪里?可此刻你在这里,存在于每一寸空间、每一缕阳光中,你的心、手臂和灵魂之光环绕着我,蕴含勃勃生机。科罗拉多的沙漠并不荒芜,时光并未虚度。因为你在此地,无数生命汇聚成一个生命,绿意从植物之心中迸射而出,蓓蕾在夜里绽放,许多古老之物披上不朽之衣,回归的失落之物在过往中敲门,早于我还在子宫里的时间,你也在那儿。可痛苦如何说得清!这是错的——还有撕裂,这是必要的。这是本就不该筑起的无数大坝的决堤——一旦筑起就可能轰然倒塌,因为水流可能凝聚为一体。

这是封情书,不是吗?我的爱人,我的明娜,我上次给你写情书是多久之前?潜藏的溪流有没有汩汩冒泡,溢出河岸与压顶石,冲洗我的双脚、膝盖与整个身心？世上的水为何甘甜——若我们要死去，就将之饮下。哪怕犯下罪过，或彼此分离——哪怕命途多舛，或众叛亲离——那我们也已尝过幸福的滋味——必被列入受庇护者的名录。我们已得到生命的所有馈赠，已食下智慧之树的果实，已了然于心——我们即是宇宙的奇迹。

爱是一只手还是一只脚——是一幅画、一首诗还是壁炉边的一方地——是一辆小汽车、一个许可还是相逢云端的鹰——不，不，不，都不是。爱是光亮，是温度，是手，是脚，是自我。若我夺取晨曦的翅膀，驻留在大海的极深之底，你也在那儿——它坠入地狱，三日后再次升起——你也在那儿——沉于欲望或营生——在磕绊干燥之地，有病痛有健康——各种各样的病痛——世界还包含什么有何关系——你在世界里吗，在这个世界的每一部分里吗？没有你，我找不到世界的任何一角——我的眼睛看不到它，它一片空茫——我看到它容纳一切，皆为无物，而你的翅膀超越一切创造之物。

我们不是已经共同生活了三年——一日日更为亲密——嫁接在一起，直到每一滴汁液都在我俩内部流动循环——写到此我才知晓——你的所思所想——一种情感、一个愿望、一缕思绪从我体内飘过——是你的吗？那些古语为何如此悲怆，为何会有人勤勉、紧绷而沉稳，凝视雕刻工具，仿佛划出直线才值得称颂赞赏。那些激情创作的无数磅纸张和夜晚——作品真的出彩到使目标实现了吗——或者说这是无声的思想交融——在夜晚——就算此前有那么多将我们交织在一起的吵嘴之日？没关系，这就是爱。爱将你的灵魂注入我的体内，我不必开口便能传情达意，我下笔只为快乐与幸福。过去几年间，我们认真而勤恳，在实事求是的基础上对碰思想——仿佛在玩生活的多米诺骨牌。我曾经那么阴云密布——拽你下沉，钉牢无用的指甲切成碎片，给碎片安上罪名，钉上十字架惩戒——无边的爱笼罩着我们，不断生长，不断扩散——不知我们是不是在发光——或是在用每个姿势与音节传递来自无限的信息——如同米开朗琪罗画笔下能传递神谕的西比尔。不知街上的人是否会像看到天使一样关照我们。

　　　　　　　　　　　　　　　　你的约翰

—— 信件 15

我爱我的妻子，我的妻子走了
理查德·费曼致艾琳·费曼

1946 年 10 月 17 日

诺贝尔物理学奖得主理查德·费曼是 20 世纪最伟大的科学家之一，作为关键性人物带动了科学界一系列突破性的发展，如参与秘密研制原子弹的"曼哈顿计划"。除了智慧超群外，费曼还拥有超凡的个人魅力，他以不可思议的妙笔，将高深莫测的知识化作通俗易懂的语言，把知识宝库传授给大众。当他 69 岁去世时，一颗巨星真的陨落了。在他死后不久，有人在他的遗物中发现了一封情书，收件人是他的爱妻艾琳。情书写于 1946 年 10 月，16 个月前，艾琳死于结核病。费曼的女儿米歇尔如此描述这封特别的信："信纸磨损很严重，比一般的信严重得多，显然他常常拿出来重读。"

—— **信件正文**

> 1946 年 10 月 17 日

亲爱的艾琳:

我爱慕你,甜心。

我知道你多么喜欢听我这样说,但我这么说并不只因为你喜欢,而是因为写这句话给你让我内心非常温暖。

自从上次给你写信,竟已过去这么久,快两年了。但我知道你会原谅我,因为你了解我这个人,固执而现实,而且我觉得写信没有意义。

但我现在意识到,我的爱妻,我早就应该给你写封信,只是迟迟没有提笔。以前我常给你写信。我想告诉你,我爱你,我想要爱你,我会永远爱你。

我发现自己很难想明白,在你死后再继续爱你有何意义。但我仍想安慰你、照顾你,也想要你爱我、关心我。我想和你一起讨论问题,一起做些小小的项目。直到现在,我才想起我们能一起做这些事。我们能做些什么呢?

我们一起学做衣服,学中文,或是买个电影放映机。我现在不能做些什么吗？不能。没有你，我孤独一人。你向来是出主意的人，主导着我们所有疯狂的冒险。

你生病时总担心，怕无法给我你想给的东西，你觉得我需要的东西。不必担心。就像我当时对你说的，我没有任何实质的需求，因为我爱你，爱你的方方面面。如今这种感觉更加真实，你什么都给不了我，可我依然如此爱你。你站在我面前，阻挡我去爱其他人，可我希望你站在那儿。你虽已过世，却比任何在世的人更加美好。

我知道你会说我傻，会希望我过得幸福美满，不想阻挡我。我敢打赌，你会惊讶两年来我连一个女友都没有（除了你，甜心）。但是亲爱的，这事你无能为力，我也一样。不知为何，我见了许多女孩，不乏非常好的，我也不想一个人过活，可见了两三面后，我便视她们如尘埃。唯有你留在我身边。你是真实的。

我的爱妻，我深深地爱慕着你。

我爱我的妻子，我的妻子走了。

理查德

另：请原谅我没寄出这封信，我不知道你的新地址啊。

—— 信件 16
我的天使,我的爱人
埃米莉·布拉谢尔致雷米·奥奇力克
2012 年

雷米·奥奇力克在 1983 年出生于法国。从小时候起,他就认定摄影会是他一生的热爱。身为一名战地记者,他因 2004 年海地内战的报道一举成名,而 7 年后"阿拉伯之春"的实地报道更是助他赢得了多个大奖。可他察觉自己的人身安全正因一次次任务受到越来越大的威胁。悲剧发生在 2012 年,当他正辗转叙利亚各地报道叙利亚内战时,一枚火箭弹击中了他的藏身之地。在他殉职不久后,他心碎的女友埃米莉给他写了一封信。

—— 信件正文

奥奇力克：

我从未感觉落笔是如此艰难，所有词典都派不上用场。我听到你在耳边叫我："布拉谢尔小甜心。"所以我改了主意，决定将我爱你的种种一一列出。

我的天使，我的爱人：

我爱你一条条列出心愿清单时的样子。你想要一辆哈雷摩托、一套阁楼公寓、一台 2.2 万欧元的钛合金徕卡相机。你还会对我说："啊？你不是在《巴黎竞赛》工作吗？"

我爱你叫我布拉谢尔或布拉舍鲁妮特的时候，或是有事想问我的时候。

我爱你想找个国家与我过二人世界的想法，我们能每年一起去那儿拍摄。

我爱听你谈论艺术、绘画和文学，对此我一窍不通，你教会了我许多。

我爱你隐身于片场的技能，你沉入阴影，让镜头中的人忘记你，以便拍出更好的照片。

我爱看你每天清晨浏览照片网站，听你说："布拉谢尔,瞧瞧他们都在做什么,我真受不了。"

我爱你拍摄的《爱在草地上》,独属于我俩的纪录片。我们像少男少女一样蜷在毯子里看这部片,中间还夹着我们的猫咪。你说了好几遍:"这事最好别说出去。"

我爱看你每天早晨为我做咖啡。八个月后,你做的咖啡真的可圈可点!

我爱听你说你想要两个孩子,一个男孩和一个女孩。

我更爱你在朋友面前跟我叨唠孩子的事:"你瞧蒂比、玛特和弗蕾德,她们的女儿多酷,而且她们又怀宝宝了!"

我爱你决定涉足险境时的果断,当你决定去利比亚、尼日利亚、缅甸、叙利亚和图勒时,每次考虑都没超过五分钟。

我爱听你说:"布拉谢尔,你让我变幼稚了,我越来越像你了。"

我爱当我夸你是世界第一摄影师时,你说"那是你偏爱"时的样子。

我爱当听见我说我为你疯狂时,你脸红的样子。

我爱我们共同生活的日常,爱我们一同熬夜看

《嗜血判官》的夜晚，只要在你身边，我嘴角的笑就怎么也收不住。

我爱看你在夜晚摘下隐形眼镜，换上厚厚的框架眼镜。我会叫你"哈利·波特"，你讨厌这个称呼，便会直呼其名叫我"埃米莉"。

我爱听你对我说你一点也不想我。

我爱听你说你嫉妒埃里克，嫉妒伊万，嫉妒皮埃尔，嫉妒所有人，甚至嫉妒我的猫玛塞勒。

我爱在我外出工作时，你绑走玛塞勒的行径。你把它带回家，让它熟悉你的猫，这样我们就能生活在一起，做快乐的一家人。

我爱你害怕去见我母亲时的样子。

我爱你带我去翁弗勒尔的那一天，我们停在公路边，啃了一条玛氏巧克力棒，喝了一罐可乐。

我爱听你对我说："布拉谢尔，我不好看不讨喜，是爱情蒙蔽了你的双眼。"

我爱你把牙刷落在我家的那一回。我给你的牙刷拍了照，展示给我的闺蜜们看，我差点把这张照片发到脸书上。

我爱你骑着小摩托路遇红灯时触碰我腿的小动作。

我爱在早晨与你紧紧相拥，也爱在晚上再次被你拉入怀抱，仿佛我们分离了好几个月。

我爱看你在窗边吸烟，你太性感了，可正如你所说，这是我偏爱。

我爱在醒来时，听到你对自己最好的兄弟朱利安说："瞧外头，松鼠妈妈在那儿！"

我爱当初听你说："朱利安是我的妻子，你是我的情人。"抱歉，朱利安，两个月后我俩的身份对调了。

我爱你羞涩的微笑，爱你大笑的模样，爱你温柔如水、细腻体贴，爱你少年气满满的柔情蜜意。

我爱你每隔五分钟发一次的求婚短信，还配有表情图标什么的。我们曾相约要去拉斯维加斯结婚。

我爱你去给玛塞勒喂食时在我的笔记本里留下的情书。

我爱你的勇气、你的赞美和你的严厉。我十分为你骄傲，我的天使。我敬佩你作为一个记者，也敬佩你作为一个男人。你的形象是如此伟岸。

我爱听你说："布拉谢尔，我们的一生就在前方。"

我爱听你在我心情低落时安慰我说，一切都会好起来。真希望今日也能听见你这么说。

我非常爱2月10日那个周五，最后一次相见时，你告诉我我让你很开心。

我能继续向前,我愿用一生来扩充这张爱之列表。奥奇力克,我爱你。希望在天堂中的你明白,在你身边我不仅仅是开心,而且是如盛放的鲜花般生机勃勃。与你在一起,生活充满爱意,如此甜蜜,令人心潮澎湃。我们共处的时光如魔法般不可思议,我们得抵挡职业、热情和业余爱好对时间的侵占,腾出空闲营造无比快乐的二人世界。

我们做好了面对一切的准备,唯独没考虑最糟糕的情况。奥奇力克,我不知道没有你我该怎么走下去。在罗马时,你对我说:"爱情是个弱点。"你错了,今天我感受到的是坚强。圣诞节时,你送了我一个笔记本,对我说:"写下我们生活中的故事,读给孩子们听。"我保证,我会讲述我们时常幻想的生活,同时也是我正准备为你我二人而过的生活。

奥奇力克,不知道你有没有想我。我好想你,想得都快疯了。

但我知道你就在这儿,在我心里,在我身边,在大家身边。今日咱俩的名字拼成的昵称——布拉谢力克,拥有了意义。

我的爱,终有一日我会与你重逢,但不是现在。

你不愿看到我放弃，看到我任生命消逝。所以我擦干眼泪，一遍又一遍地看你最爱的电影，那些能让你开心的电影，比如《雨中曲》。

我知道你宁愿看到我们喝酒抽烟一整夜来为你悼念，别担心，会如你所愿的，夜晚还没结束。

我的天使，代我给卢卡一个吻，照顾好自己，守护好我们。

埃米莉·布拉谢尔

我保证,我会讲述我们时常幻想的生活。

——埃米莉·布拉谢尔

—— 信件 17

我们面临一个难题

米尔德丽德·洛文、理查德·洛文致美国公民自由联盟

1963 年 6 月 20 日

　　1958 年，米尔德丽德·洛文和理查德·洛文，一对来自弗吉尼亚州的异族夫妇在华盛顿特区登记结婚。五周后，两人在弗吉尼亚州的家中被捕，罪名为违反该州 1924 年颁布的《种族完整法》。两人没有离婚，而是一同搬去了跨种族婚姻合法的华盛顿特区，可没过多久他们就想家了。1963 年 6 月，米尔德丽德给司法部长罗伯特·F.肯尼迪写信求助，肯尼迪建议夫妻俩给美国公民自由联盟写信。这引发了一起诉讼以及 1967 年里程碑式的"洛文夫妇诉弗吉尼亚州"案决议。美国最高法院受理该案后一致认定，禁止异族通婚违反联邦宪法，禁止跨种族婚姻的法律条款应当被废除。

—— **信件正文**

> 尼尔街 1151 号
> 华盛顿特区东北部
> 1963 年 6 月 20 日

敬启：

我们面临一个难题，冒昧给您写信。

5 年前，我与丈夫在华盛顿特区结婚，随后回到弗吉尼亚州生活。我丈夫是白人，我是黑人和印第安人混血。

那时我们不知弗州法律禁止跨种族婚姻。

因此我们遭到拘捕，在鲍林格林的一个小镇接受审讯。

随后我们离开弗州，另寻家园。

难题在于我们无法看望家人。法官说若我们在此后 30 年内踏足弗州，就必须入狱 1 年。

我们心知不能住在那儿，但希望能隔三差五回去看望亲朋好友。

我们有 3 个孩子，负担不起律师费。

我们给司法部长写了信，他建议我们与您联系寻求建议。

恳请您能帮助我们,希望尽快得知您的回应。

洛文夫妇敬上

—— 信件 18

如同饿狼看见肉

阿迪·布朗致丽贝卡·普赖默斯

1861 年 5 月 24 日

    1994 年，一沓跨度长达一年的信件重见天日，揭示出一段与众不同的恋情，引发众学者热议。写信者是阿迪·布朗，一位出生于 1841 年的女子，自幼失去双亲，在父亲过世后被费城的姨妈收养长大，从未接受过正式教育，长大后一直靠做女佣为生。收件人是丽贝卡·普赖默斯，不同于阿迪，她出生在康涅狄格州一个富裕的中产家庭，是四个孩子中的长女，职业是备受尊敬的教师。两人的人生在诸多方面大相径庭，不过丽贝卡同阿迪一样，也是有色人种女性。两人如何相识不得而知，也无从知晓丽贝卡如何回应阿迪接连不断的炙热示爱。阿迪读写能力不强，她写信的用语时而让人摸不着头脑，但言语背后的情感绝不可能有假。

—— **信件正文**

纽约，1861 年 5 月 24 日

亲爱的丽贝卡：

见到你温暖的信，我就如同饿狼看见肉，我都数不清我将这信反复读了多少遍。今天傍晚，我在离开后第一次打开泪匣子。哦，亲爱的丽贝卡，没人懂你好友的心。我生怕家里人讨厌我，他们说我太善变了。

我会尽力做个讨人喜欢的女孩，可当你远在天边，我如何做得到？每时每刻我都在想你。

亲爱的丽贝卡，若拥有鸽子的力量，我会迅速飞向爱人的怀抱。

亲爱的丽贝卡，母亲在家有一大堆活要干，我很高兴，因为必须要干活，忙起来就没空胡思乱想了。丽贝卡，李先生最近很关照我，向我示好，可我对他表现得和对常人一样，他不理解我的想法，你怎么看？我喜欢当他是朋友，仅此而已。可亲爱的丽贝卡，倘若遇到良机，我会抓住，因为我累了，不想在这个不友善的世界上继续漂泊了。亲爱的丽贝卡，说了那么多，别忘了我说过的对婚姻的看法，更别提我接下来打算写的了。我的知心朋友,从李先生的所作所为看,我相信他真的爱我,可我无法回报他的爱。他问我有没有想过再去哈特福德定居,我说不知道,他说他觉得他会去的。

丽贝卡,你怎么看我的旧情人周日在教堂礼拜完后和我一同回家,待了一上午……这让我心里有一点点乱。别笑话我,亲爱的。母亲让两位先生寄宿在家里,有一位似乎对我有意,母亲和塞利娜都和他说他没机会。亲爱的丽贝卡,母亲说她觉得我对她不亲。她的确对我很和善,但不知以后会不会一直这样。你也这么说过我的爱。我会尽力控制好自己多变的性情,不过要留由你评判。

丽贝卡,你觉得诺特太太死了后会去哪儿?因为我觉得她已经……不在了。请原谅我这么说,可这是真的,她还活着时就知道了。她只给了我一件衬衫,我坚持要留着,可她想扔掉,现在这衬衫还在我这儿。所以我确信了一件事,丽贝卡,我永远不要和诺特太太共处一个屋檐下,因为我觉得她这种女人不好相处,甚至让我觉得讨厌。

亲爱的丽贝卡,丧亲之痛正笼罩整个家,母亲唯一的朋友死了。那人就像她的父亲,每当她遇到麻烦时都会站在她身边,母亲一有什么需求,就会去且只会去找这个人。他对这个家来说是一位亲密的朋友。丽贝卡,看到他的遗孀太揪心了。我最后一次见他是在周日,他看起来身体很健康,精神也很好。周一上午,有人叫母亲去看他,说他快窒息而死了,抢救了一阵子后,他似乎好了些。母亲下午两点回家,以为他的情况已经好转。晚上母亲又过去,看到他好多了,就在深夜一点回家了。还没等母亲起床,他已奄奄一息,然后就去世了。天哪,丽贝卡,太突然了,我们都很担心斯科特太太还能活多久,她年纪那么大,很快就要到头了……这就是家里的事。丽贝卡,我得结束这封长信了,因为你可能觉得没啥意思。好希望能用这纸笔换来爱人身边的一个座位。丽贝卡,这有可能,而且一定有可能。离别到底要多久,只有上帝知道,我因你而心碎,只为你。向你道晚安。

爱你的

阿迪

另:将我的爱传达给你亲爱的母亲和其他家人,也传达给埃姆姨妈和其他所有朋友。

—— 信件 19

你光辉灿烂
罗伯特·舒曼致克拉拉·维克

1838 年

德国著名作曲家兼钢琴家罗伯特·舒曼在佛列德·维克门下学习钢琴时,与老师的女儿——钢琴神童克拉拉·维克一见钟情。克拉拉的父亲百般阻挠两人的恋情,拒绝把女儿嫁给一个"身无分文的作曲家"。舒曼没有气馁,诉诸法律,在法庭上拉锯许久后,终于赢得了迎娶克拉拉的权利。两人在 1840 年结为夫妻。罗伯特在 1856 年去世,40 年后克拉拉过世。两人共养育了 8 个孩子,互通了不计其数的暖心信件,有这些爱意满满的信件佐证,两人为了结婚能抗争许久也就不足为奇了。

—— **信件正文**

1838 年

克拉拉:

收到你近来的信件,平安夜之后寄来的那些,我开心得不得了!我想用所有亲昵的称呼来叫你,可没寻得哪个词比简简单单的"亲爱的"更为可爱,不过说这个词要用一种特别的方式。亲爱的,一想到你属于我,我便喜极而泣,常常自我怀疑是否配得上你。

有人认为,如果各种事都在一天内一股脑冒出来,那没有哪个男人的心脏和大脑能够承受。这成千上万的想法、愿望、悲伤、快乐和希望从何而来?一天又一天,日子在继续,可昨日和前日的我是多么无忧无虑!你的信件闪耀出一个如此高贵的灵魂,如此虔诚,蕴含如此充盈的爱!

我的克拉拉,为了得到你的爱,没有什么我不会去做!过去的骑士境况好些,他们能穿越火海、屠杀巨龙以赢得自己的妻子,可如今的我们只能以更庸常的方式自我满足,比如少抽点雪茄,或诸如此类。不过,毕竟我们可以爱,无论是和骑士还是非骑士。所以说,还是那句话,只有时间会流转变化,男人的心不会……

你无法想象你的信给了我多大的鼓舞和力量……你光辉灿烂,你为我骄傲,而我有更多的理由为你骄傲。我呢,心意已决,要从你脸上解读出你所有的愿望。这样你嘴上虽不会说,但心里会想,罗伯特真是个好男人,他全然属于你,他对你的爱无以言喻。

在幸福的未来,一定有理由让你这么想。我依然能看见你昨晚戴着小帽子的样子,能听见你叫我的那一声。克拉拉,除了那声呼唤,你说的话我都没听见。你还记得吗?

可我还看见了你的许多套令我难以忘怀的装扮。你曾有一次身穿黑色长裙,和埃米莉亚·利斯特一起去剧院,那是在我俩分离期间。我知道你不会忘,那段记忆在我脑中依然鲜活。另一次,你撑着伞在托马斯加申漫步,忙不迭地躲我。还有一次,你在一场音乐会后戴上帽子,我俩眼神交汇,你的眼中盈满从未改变的爱。

我回想从认识你起见过的各种模样的你。我看你的次数不多,但你依然迷得我魂牵梦萦。啊,再多赞颂也配不上你和你对我的爱,我真的不值得你如此爱我。

罗伯特

—— 信件 20
我爱你爱到无法自拔
詹姆斯·斯凯勒致约翰·巴顿
1956 年春

1923 年,詹姆斯·斯凯勒出生于芝加哥,在动荡不定的养育环境中长大。父母早年离异,他的童年大多与母亲和继父辗转各地寻找安居之所。青年时期,他曾短暂效力美国海军,后来因首次精神崩溃入住纽约精神病院,随后又发了无数次病。在人生历程中,他一直在写诗。1981 年,57 岁之际,他的诗集《诗歌之晨》荣获普利策诗歌奖。20 世纪 50 年代,斯凯勒遇见了画家约翰·巴顿,两人经常互通信件。

—— 信件正文

亲爱的约翰：

我说不上来为何今日要向你坦白（但我依然要挑明）。我爱你爱到无法自拔，这份爱由来已久，起始自弗兰克带我去你公寓的第一天。我环视你独具匠心的画作，忽然间，你带给我的一切感受化作了一颗钻石、一朵玫瑰或别的什么——总之我一边听弗兰克演奏普朗克的乐曲，一边迈步上下走动，感觉自己就像那只丑小鸭，忽然在这一天发现自己原来是白天鹅。

然后你回来了，那时我感觉自己无法再次注视你或看向你，只能咯咯傻笑，哼哼唧唧，身子一抽一抽。不过从那时起，我看过你好多好多次，世上再没有一个人让我渴望注视，渴望得到。

我这人似乎太善良了，不争不抢，这点最让我恨之入骨。我想不通自己为何生下来就是个傻瓜，而不是个收买路钱的强盗贵族。

所以我打算下楼放把火烧了57号大道，免得你受冻。

这是一派胡言。我爱与你相爱的状态,这让一切不快都显得微如秋毫,即使有时我无比渴望全身心投入科学,不再受之烦扰。

献上我全心全意的爱,

吉米

我爱与你相爱的状态,这让一切不快都显得微如秋毫。

——詹姆斯·斯凯勒

—— 信件 21

到晚霞中寻找我

埃米致萨姆纳

日期不详

马萨诸塞州的奥本山公墓开业于 1831 年,共有九万多人长眠于这个风景优美、蔓草丛生的公园,其中有块墓碑上刻着一封信,由一位女子写给她仍然在世的爱人。

—— **信件正文**

亲爱的萨姆纳：

非常抱歉我得先走一步，我的时候到了。我们两人中，你总是更强大的那一个。在风雨晦暝、波涛汹涌的大海上，我无法像你为我那样为你掌舵。在我去往另一个世界的时日，你一定能过得很好。

我离开了人生舞台，但永远不会离开你，我置身于上千个永远属于我们的地方。到晚霞中寻找我，那晚霞将无垠的日光与西方天空亮粉色的云团结为连理。这些是我的晚霞，不是你的。亲爱的萨姆纳，好好活下去，心怀依然要给出去的每一丝爱意，不要质疑依然在你怦怦跳动的温暖胸膛中飘浮着的渴望。

一个人寂寞了的话，来找我就好。我就在晚霞中，你侧耳倾听，我会轻声耳语，道上祝愿。

你永远的爱人，
埃米

—— 信件22
烂透了的提议
伊夫林·沃致劳拉·赫伯特
1936年春

　　《旧地重游》的作者伊夫林·沃出生于1903年的伦敦。1928年6月,在备受赞誉的处女作《衰落与瓦解》出版3个月前,没多少积蓄的他迎娶了第一任妻子,原因主要是女方父亲的百般纠缠。结婚不到一年,伊夫林就提交了离婚申请。几年后,1936年春日,在不耐烦地等待第一段婚姻正式解除时,伊夫林给准前妻19岁的表妹劳拉写了一封信,自封为"烂透了的提议"。这一挖心掏肺而不失幽默的求婚方式得到了回应:伊夫林和劳拉次年结婚,一直相伴到30年后伊夫林去世,两人一共养育了7个孩子。

—— 信件正文

> 布里奇沃特地产公司
> 埃尔斯米尔
> 萨洛普郡

甜心：

昨夜又一封信，荣幸之至。

我先猜猜当你一个人在皮克斯敦时会做些什么，你可能会想想我这个人，思考能否接受嫁给我这一问题。当然你不必立刻决定，但你要多想想。我不能站在自己的立场给你建议，因为这提议对你来说很唐突，但对我来说很美妙。我这人性格焦躁，情绪多变，不喜与人打交道，还是个懒汉，有收入没积蓄，如果病了就得连累你也挨饿。事实上，这真的是个烂透了的提议。不过我能改，我能严格控制饮酒量，而且我敢为自己的忠诚打包票。除此之外，下一次的经济危机可能让情况更为萧条，这种情况下，你若是嫁了一位有大房子的贵族可能就会挨饿，但我头脑聪明，总能找到挣钱维生的法子。尽管你要与一个糟老头子相依为命，但我没什么顽固的陋习。你不会受限于任何地点和群体。我没什么在世的亲戚，除了一个了解甚少的兄弟，所以你不会卷入一个大家族以及成员间的明争暗斗，也不用面对讨人厌的嫂子或姨妈对你颐指气使，横加干涉，这种事世上可不少见。所有这些，在我糟糕的性格面前不过是微不足道的优势。我一直尝试对你好，也许你也留下了我是个好人的印象，但没这回事，我的好只对你，只为你。我这人嫉妒心重，没有耐心，但也没必要把我的缺点全部列出来。你是个有判断力的姑娘，一定早已看透了我，甚至许多连我自己都不知道的缺点也逃不过你的眼睛。但我要指出一点，你嫁给大多数人，都相当于嫁给了一大堆事物和一大群人，不过呢，如果你嫁给我，那就不会涉及别的人或事，这既有好处也有坏处。我与外界唯一算得上的联系就是工作，这意味着要么我们得一年分开好几个月，要么你得与我一同待在一些无亲无故的地方。不过除此之外，我们可以爱做什么就做什么，爱去哪儿就去哪儿。如果你嫁给了一个士兵、一个股票经纪人、一个议会成员或一个养猎狐犬的人，你都会受到更多牵绊。

当我告诉朋友我爱上了一个19岁的女孩，他们无不大惊失色，念叨着"可怜的孩子"。但我并不把你看成小女孩,尽管你年轻貌美,同时我觉得,说什么你还难以做出押上终生幸福的决定是在和稀泥。不过,你的决定或答复也许都没有意义,因为我可能永远无法摆脱你姐。最重要的是,亲爱的,不要心烦意乱,就让这事在你的小脑瓜里翻篇吧。

小甜心,八天后我能和你重逢,除此之外我别无他想。

爱你至深,

伊夫林

—— 信件 23

我知晓了何为爱
安塞尔·亚当斯致锡德里克·赖特
1937 年 6 月 10 日

  安塞尔·亚当斯在 1902 年出生于加利福尼亚州，他自幼沉迷自然风光，常常花大量时间探索脚下这片广袤的土地。不过直到 12 岁得到第一台相机后，他才发现了自己的热情所在，种子即刻被埋下，日后将送他登上世界著名风景摄影师的星光之巅。遗憾的是，1936 年，由于持续不断的高负荷工作和摇摇欲坠的婚姻，亚当斯患上了神经衰弱。住院一阵子后，他迫切地想逃离，坚持一定要和家人回到那个能让他获得内心安宁的地方——加州的约塞米蒂。几个月后，他恢复健康，给自己最好的朋友兼导师锡德里克·赖特写了一封信。

—— **信件正文**

> 约塞米蒂国家公园
> 1937 年 6 月 10 日

亲爱的锡德里克:

今天发生了一件怪事,我看见一片硕大的雷雨云缓缓下沉,笼罩半圆丘。它是如此之大,如此清透,如此明亮,让我看清了飘摇于内心的许多东西,关于那些被爱着的人,关于真正的朋友。

平生第一次,我知晓了何为爱,何为朋友,何为真正的艺术。

爱是对一种生活方式的追寻,这种生活方式单凭一己之力无法寻得。爱是一切精神与物质存在的回响。孩童不仅仅是血肉,还可能凝聚了见解、想法和感情。被爱之人的人格由不计其数的镜子构成,这些镜子彼此反射,照亮了你内心的全部力量、想法与情感,又聚焦出另一道光从中闪耀而出。没有任何言行能涵盖其真意。

友情是另一种形式的爱,也许更为被动,但满满的都是对事物的传达与接受,比如雷雨云,比如青草,比如花岗岩纯净而真实的存在。

艺术既是爱又是友情,还包含理解。艺术是给予的渴望,与慈善不同,重点不在于给予的东西,而在于给予这个动作本身包含的善意。艺术是接受与给予之美,是将精神意识的内褶化作光芒。艺术是在另一个层次的世界真实中玩乐,关于地球和人类,关于所有事物内在联系的悲剧而绝妙的真实。

希望这片雷雨云飘到太浩湖上,在你上空悠悠落下。我想没有比这更好的祝愿了。

安塞尔

爱是对一种生活方式的追寻，这种生活方式单凭一己之力无法寻得。爱是一切精神与物质存在的回响。

——安塞尔·亚当斯

—— 信件 24
我在截去你
弗里达·卡洛致迭戈·里维拉

1953 年

    1927 年,弗里达·卡洛与迭戈·里维拉初次相遇。两人同为画家,里维拉比弗里达年长 21 岁,相识不久后成了她的丈夫兼导师。弗里达的人生历程十分艰辛。她小时候因小儿麻痹症卧病在床,年轻时又遭遇了严重的交通事故,留下了伴随一生的后遗症。不过幸亏满怀对艺术的热爱,弗里达熬过了难关。成年后,她在艺术事业上风生水起,成为享誉国际的画家,里维拉也同样声名显赫。两人的婚姻因狂放不羁和不可预料而闻名于世。1953 年,弗里达去世前一年,她的一条腿因坏死而被截掉。在进手术室前,她给里维拉写了一封信。

—— **信件正文**

墨西哥

1953 年

亲爱的迭戈先生：

　　在进入手术室之前，我在病房里写下这封信。他们催促我快点，但我坚持要先写完，因为不想留下任何未完成的事，尤其是当我知道他们将要做什么。他们要切掉我的一条腿，挫伤我的自尊。当得知必须要截肢时，我并未像众人所想的那样无法接受。没有。失去你时，我已是个身负重伤的女人，随后又被伤了无数次，但我依然活着。

　　我不怕痛，你知道的，这几乎是我与生俱来的能力。但说实话，我痛苦过，痛苦得无以复加。那就是每当你欺骗我的时候，你欺骗我的每一次，不只是和我妹妹，还和其他许多女人。她们怎会任凭你戏弄？你坚信我发火是因为克里斯蒂娜，但今天我告诉你，不是因为她，是因为我和你，主要原因在我。因为我从来不知道你在关注什么、追寻什么，不明白她们究竟给了你什么我给不了的东西。我们不要再自欺欺人了，迭戈，我已经给了你力所能及的一切,这点我俩都心知肚明。可你这个造孽的王八蛋为什么能诱骗那么多的女人?

我写这封信只会谈及彼此早已指责过的事,不会给你另添罪名,毕竟还有更多浑蛋活在这世上。我写信是为了告诉你,我的一条腿要截了(该死的,该来的终究还是来了)。我曾跟你说,长久以来,我一直认为自己是不完整的,但为什么这件事要让所有人都知道?我将要一分为二这件事很快会为世人所知,为你所知……正因如此,我才要赶在小道消息之前告诉你。原谅我无法亲自上门告知,考虑下我的病情,我不能离开病房,甚至不能用洗手间。得到你或其他人的怜悯并非我的本意,我也不想让你内疚。我写下这封信是为了告诉你,我在释放你,我在截去你。快乐地过日子,不要再来找我。我不想再收到你的消息,也不想你收到我的消息。若要说有什么事能让我在死前享受一把,那就是再也不用看到你这张不堪入目的臭脸在我的花园里晃荡。

言尽于此,我可以心平气和地去截肢了。

    一位曾燃尽灵魂疯狂爱你的人向你道别,
      你的弗里达

—— 信件 25

远离你我什么也不是

莱斯特·哈尔布赖希致雪莉·哈尔布赖希

1944 年 8 月

　　莱斯特·哈尔布赖希和雪莉·舍勒在 1941 年相识于纽约州卡茨基尔的史蒂芬西耶酒店,莱斯特是服务生,负责雪莉以及同她一起度假的一家人所坐的餐位。4 个月后的 12 月 24 日,两人步入婚姻殿堂。但就在此时,由于日本军队袭击珍珠港,哈尔布赖希夫妇和其他无数人的生活偏离了预定的轨道。此次袭击迫使美国卷入第二次世界大战,莱斯特被征入海军部队。在服役的 18 个月期间,他和雪莉近乎每天都在写信,在退伍回家前,两人互通了近 600 封信件,大多数被他们的女儿整理出版。1944 年 8 月,一个周日的夜晚,浓烈的思念之情远超往日,莱斯特在信纸上倾诉衷肠。

—— **信件正文**

> 1944 年 8 月

我亲爱的妻子：

宝贝，同屋的战友还在看书，我打算坐起来几分钟给你写封信，告诉你我有多爱你，告诉你你对我有多么重要。

我知道，这些话我已经对你说过上千遍，但说上万遍也不为过。我爱你，宝贝，全心全意，毫无保留。在打下这些字时，你的照片就放在我眼前，我内心最深处的激情向着你喷薄而出。你不在身边，这份无法当面获得回应的爱能要了我的命。

每时每刻，思念无处不在。我试图填补内心的空洞，玩西洋跳棋、打保龄球、看电影、和战友喝酒、哈哈大笑、耍耍孩子气（尽我所能），可每回迎来的只有更大的空虚，唯有将你紧紧拥在怀中的感觉能将之填满。我想念你吻我时嘴唇的温暖，想念与你依偎的每一种方式。没有你，孤独渗透了我的骨髓……不过我也很开心，因为知道你的思念不亚于我，因为心怀重逢的期待。

哦，宝贝，彼此相爱是多么幸运。每一天（或几乎每一天），我都会见到彼此不相爱的夫妻，生活对他们而言还有什么盼头？什么都没有。但有你，我的甜心宝贝在，生活就充满一切可能。为何？因为与你重逢的期待就令一切都变得值得。

我不会为激情的渴望而道歉。我现在激情澎湃，若你在我身边，我会狠狠地爱你（因为世上的女人我只爱你一个，你也只爱我一人）。从早到晚，一坐下我脑海中就全是你。今晚我给你打过电话，但一直没接通，所以我坐了下来，借助打字机尽力将自己发送给你。

我的生命，我生活的动力，短时间内我不会再写这样的信，但这一次，我要无拘无束地向你倾吐爱意。

我爱你，你是我"存在的理由"。没有你，生活毫无意义；有了你，它便是一首神来之笔的十四行诗，一颗打磨精良的宝石，一首天籁般的交响乐。或用粗鄙的话来讲，在遇见你前我就像行尸走肉。生活仅当与你在一起时才值得，远离你我什么也不是。在最近这个月，这点真是彰显无遗。

我还能洋洋洒洒继续往下写，真的，亲爱的，我很想这么做。坐在这儿,看着你的照片,品味你美妙的灵魂和身体,陶醉在我爱你你也爱我的思绪之中。可即使我想你想得入神,三个同屋战友的想法也得尊重,他们想睡觉了。所以说,晚安,我的至爱,睡个好觉,记得想我,每晚睡觉前都得想我,就像我想你一样。

爱你,
莱斯特

—— 信件 26

一千个吻，炽热如我的灵魂

拿破仑·波拿巴致约瑟芬·博阿尔内

1796 年 7 月 19 日

　　拿破仑·波拿巴在 1769 年出生于科西嘉岛，他既是人类历史上所向披靡的军事领袖，也是无出其右的谋略家。他平步青云，1804 年率领法军进军埃及和叙利亚，加冕为法国皇帝，次年又成了意大利国王。1795 年，刚刚开始攀登权力阶梯的拿破仑邂逅了约瑟芬·博阿尔内，爱上了她，并在几个月后向她求婚。1796 年 3 月，婚礼过后才 48 小时，拿破仑就与妻子道别，指挥法军踏上征途。拿破仑热衷于写信，就算深陷困境，他也想方设法给妻子寄去了不计其数的情书，还常常在没收到妻子信件时急不可耐，心如死灰，比如 1796 年 7 月 19 日这一天。

—— 信件正文

> 马尔米罗洛，1796 年 7 月 19 日

我已经两天没有收到你的来信了。这至少是我今天第十三次审视自身，你会觉得这无比乏味，可你不能质疑我心中被你激起的柔情和绝无仅有的焦虑。

昨天我们进攻了曼图亚。一开始我们上了两列夹杂着燃烧弹的排炮，还上了迫击炮。一整夜，悲惨的城市陷入一片火海，那景象既触目惊心，又宏伟壮观。一部分外层营垒已经搭建完毕，今晚要挖第一道平行堑壕。明天我会率领全体参谋人员前往卡斯蒂廖内，但愿晚上能在那儿歇息。一位从巴黎来的信使到了，我有两封给你的信，信我都通读过。尽管写信这事在我看来再自然不过，前些天你也同意我这样做，可我还是怕你会觉得烦，这对我来说可就苦恼了。我应该把那两封信再密封一次——呸！那样就过头了。若你想指责我，我请求你的原谅。我发誓，这不是猜忌心作祟，绝对不是。我在信这事上对爱人期待过高，希望你允许我阅读你的所有来信，这样懊悔和忧惧就都不会有了。

阿希尔刚骑驿马从米兰赶到,我的爱人没有来信!永别了,我唯一的快乐。你何时愿意与我同在?我会亲自去米兰把你接来。

一千个吻,炽热如我的灵魂,贞洁如你。

我召见了信使,他告诉我他到过你的住处,你说没有事要指派他。呸!你个顽皮淘气不听话、暴虐专横又惹人爱的小坏蛋。你嘲笑我的威胁,调侃我的痴情。啊,你心知肚明,如果能把你关进心房,我会把你囚禁到老!

告诉我你开心快乐、身体健康且一往情深。

波拿巴

啊,你心知肚明,如果能把你关进心房,我会把你囚禁到老!

——拿破仑·波拿巴

—— 信件 27

亲爱的,祝你好运

纳尔逊·曼德拉致温妮·曼德拉

1969 年 6 月 23 日

在纳尔逊·曼德拉成为南非第一位黑人总统几十年前,在两人第一次对视一年后,纳尔逊·曼德拉迎娶了温妮·马迪基泽拉。两人相伴 38 年,大多是暗无天日的年月,无论从个人角度还是从政治角度。就在结为夫妻 5 年后,纳尔逊因大力推行反种族隔离运动在本国被判刑整整 27 年,其中 18 年被关在罗本岛上一间长 2.5 米、宽 2 米的狱室里,极少与外界接触。1969 年,他在此地得知温妮也要被监禁 16 个月。在共同服刑期间,两人唯一的交流方式就是书信,其中一些还没能送到收件人手中,也不知以下这封由纳尔逊写于 1969 年 6 月的信有没有送达。

―― **信件正文**

1969 年 6 月 23 日

亲爱的:

我在这儿的宝贝中有一样是你在 1962 年 12 月 20 日写给我的第一封信,那是在我被初次判罪不久后。在过去的六年半间,我将之读了一遍又一遍,信中流露的真情实感依然如第一日收到时那样金光闪闪,历久弥新。鉴于你的抱负、观念以及在当前思想战中的角色,我有预感你早晚会被捕,但回想自己的一路风霜,我又隐隐期待这个劫难能一拖再拖,让你有幸免受痛苦的牢狱之灾。因此,5 月 17 日,正值终审前惊悸不安的准备阶段,忽然得知你被捕,我毫无心理准备,遍体生寒,孤独无依。因为你能在一定范围内自由活动对我来说意义重大。我期盼你的每一次探望,期盼由你凭借个人能力与一腔热忱号召起来的每一位亲朋好友,期盼愉快的生日和结婚纪念日,期盼你年年不落的圣诞贺卡,还期盼你克服万难筹集到的资金。这个噩耗更让人心碎的地方在于,你上一次来探望我是 12 月 21 日,我本盼着你上个月或这个月再次到来。我还在等着你回我4月2日的那封信，信里谈了你的病情，还提了些建议。

得知你被捕后的一段时日，我的大脑似乎丧失了机能，停止了运作。这时我会本能地拿出你的信，就和过去每一回决心动摇、意志消沉或是想甩掉萦绕脑海许久的烦心事时一样：

"大多数人没有意识到，如果你奉献一生追求的理想没有实现，那你的物理存在对我来说毫无意义。我发现没有什么比活在希望中更为绝妙。亲爱的，我们相伴的短暂一生，一直充满期许……在这忙碌而浓烈的几年间，我对你的爱意越来越深，胜过以往……没有任何事能比成为一个国家历史进程不可或缺的一部分更为难能可贵且意义非凡。"

这封无与伦比的信中蕴藏着一颗颗璀璨的宝石。5月17日，熬过最初一阵子痛苦后，我再度感觉自己幸福到了极点。磨难总会来来去去，让受难者要么彻底崩溃，要么淬炼成钢，变得更为老到，能够更有力地面对下一波挑战。正是在当下，你必须牢记，希望是最有力的武器，世上无人能从你手中将之夺走，同时，的确没有任何事能比成为一个国家历史进程的重要参与者更为可贵。社会生活和思想中的永恒价值不可能由对一个民族的真实渴求漠不关心乃至站在其对立面的人创造。那些没有灵魂、没有民族自豪感、没有胜利信念的人不会感到屈辱或挫败，他们不能推动民族遗产的传承，无法受神圣的使命感感召，也不会有人站出来成为殉难者或民族英雄。一个新世界不会落入袖手旁观者之手，新世界的主人将是站在竞技场上，衣衫因风雨而破裂、身躯因斗争而负伤的勇士。荣耀属于那些即使前路黯淡无光，但仍未舍弃真理，依然不断尝试，且不因辱骂、蒙羞乃至战败而气馁的人。有史以来，人类向来尊崇勇敢而诚实的人，无论男女，就像你，亲爱的——一个普通女孩，出生自一个名不见经传的茅屋村庄，甚至在农民之中都是最卑微的出身。

对你忠贞诚挚的爱让我只能言尽于此，因为这封信会经过很多人之手。有朝一日，等拥有了私人空间，我们便能尽情倾诉在过去八年间深埋于心底的爱意。

过段时间，你会被起诉，还可能被定罪。我建议你一被起诉就去找妮基商量，想办法筹钱用于必要的学习、盥洗、圣诞节用品和其他个人开销。一旦被定罪，你就立刻叫她给你寄一些装在皮革相框里的照片。依我的经验,一张家人的照片可以说是狱中的一切,你一定要一入狱就带着。亲爱的,作为家人,你会收到我每个月的来信。我给泽尼和津齐写了封长信,由妮基转交,好让他们知晓情况,安下心来,但愿他们还收到了我早在 2 月 4 日写的那封信。上个月我给西杜莫和在比扎那的玛米写了信,这个月我打算给泰利和马什叔叔写信。在 12 月到 4 月期间,我还写信给了加托、马基、翁加、塞夫、吉布森、莉莉、德托和阿明娜,但都没回音。

能够写下这封信要多谢奥康准将宽宏大量,若你想在拘留时回信,他一定会不遗余力地帮助你。如果你读到了这封信,请确认一下有没有收到我 4 月的来信。同时,我想告诉你,我每时每刻都在思念你。亲爱的,祝你好运。一百万个吻和一吨又一吨的爱。

深爱着你,

达理邦加[1]

---

[1]. 达理邦加:纳尔逊·曼德拉行割礼时取名"达理邦加",意为"邦加的建立者"。邦加是南非兰斯凯地区的统治组织。

—— 信件 28

我爱琼·卡特,非常爱
约翰尼·卡什致琼·卡特
1994 年 6 月 23 日

  约翰尼·卡什和琼·卡特同为乡村歌手,两人邂逅于 1956 年的一场现场演唱会,尽管当时约翰尼已婚,火花仍在刹那间擦出。约翰尼多次向琼求婚未果,直到 1968 年 3 月 1 日,两人终于结为夫妻,那时距两人初次相遇已过去 12 年,而一周前约翰尼在一场音乐会的舞台上最后一次向琼求婚。此后两人一直在一起,直到 35 年后琼离世。1994 年,在琼的 65 岁生日之际,约翰尼给她写了一封信。过了 9 年,琼离开人世,约翰尼写下了两段话。

—— **信件正文**

> 1994年6月23日
> 丹麦,奥登塞

公主,生日快乐:

 我们渐渐变老,早已习惯彼此。我们想法相近,心灵相通,无须询问便知对方想要什么。有时我们会惹恼对方,也许有些时候,我们将彼此的陪伴视作理所当然。

 可有时候,就像今天,我会在陷入沉思后醒悟,自己是多么幸运,竟得以与遇见的最了不起的女人共度一生。你依然令我着迷,给我灵感,让我变成更好的人。你是我永久的渴望,是我存在于尘世的至高理由。我深深地爱着你。

 生日快乐,我的公主。

> 约翰尼

* * *

2003 年 7 月 11 日
午间

我爱琼·卡特,非常爱。我真的很爱她。我爱琼·卡特,她也爱我。

可现在她成了天使,而我还没有。她成了天使,我还没有。

—— 信件 29

一声撕心裂肺的长啸

薇塔·萨克维尔·韦斯特致弗吉尼亚·伍尔夫

1926 年 1 月 21 日

　　著名英国小说家薇塔·萨克维尔·韦斯特与哈罗德·尼科尔森的婚姻是开放式婚姻。20 世纪 20 年代早期,薇塔展开了最为出名的一段恋情,对象是弗吉尼亚·伍尔夫。伍尔夫身为作家名扬四海,创作了《达洛维夫人》《奥兰多》等诸多经典,后者还从薇塔的生活中汲取了灵感。1926 年 1 月,薇塔极不情愿地离开伦敦,去和时任波斯外交官的丈夫同住长达 4 个月。21 日这天,在列车运行途中,薇塔给留在伦敦的伍尔夫写了一封长信。

―― 信件正文

> 米兰
>
> 1月21日

弗吉尼亚，我的心缩得只剩下对你的思念。今夜噩梦般的无眠辰光，我本为你创作了一封言辞优美的信，可现在全记不起来了。我只是想你，像个凡人一样单纯而绝望地想你。你，下笔向来如有神助，绝不会写出如此粗浅的句子，也许你根本感受不到，但我还是相信你能感觉到一点点不同。你会把思念套在精美的辞藻里，以至于失了些许真实感，而我呢，就直白得多：我想你，远超乎自己的想象，我早已做好准备，要疯狂地思念你。所以这封信，其实是一声撕心裂肺的长啸。我没有想到，你对我已变得如此重要。我猜你早就听惯别人这么说了：去你的，你个被宠坏的家伙。我知道靠这样袒露心声没法让你更爱我，可是，亲爱的，在你面前我没法耍小聪明，没法故作冷淡。我太爱你了，爱得太深太真。你根本不知，对那些不爱的人，我表现得能有多冷淡。我已经把这修炼成了一门艺术，可你却摧毁了我的一切防备，而我竟一点都不讨厌。

不过，言尽于此，不再叨唠你了。

列车又启动了，颠簸得厉害。我得到车站才能继续写，所幸伦巴平原上有很多经停的车站。

威尼斯。车站很多，不过东方快车都没有停，我也没去叫他们停。在威尼斯只停十分钟，时间很紧，只够写几句，甚至没空去买意大利邮票，只能到的里雅斯特再寄出。

瑞士的瀑布全都冻成了冰帘，悬挂在岩石上，散发着彩虹的光辉，太美了。整个意大利都盖上了雪毯。

我们要再次出发了，抵达的里雅斯特得明天早上，请原谅我写了这么一封胡言乱语的信。

薇

弗吉尼亚,我的心缩得只剩下对你的思念。

——薇塔·萨克维尔·韦斯特

—— 信件 30

我会永远陪伴你左右

沙利文·巴卢致萨拉·巴卢

1861 年 7 月 14 日

1861 年，美国南北战争打响，32 岁的律师沙利文·巴卢离开了相伴 5 年的妻子和两个儿子，加入联邦军任少校为国征战。那年 7 月 14 日，沙利文敏锐察觉到前方的征程凶险异常，便给妻子写了下面这封言辞优美的信，但没有寄出。信中用雄浑而深情的文字告知妻子自己即将面临的险境，也表达了自己对家庭和国家的深沉爱意。遗憾的是，写下这封信两周后，沙利文就在布尔朗的第一场战役中牺牲，连同其率领的 93 名士兵。旷日持久的南北战争打了 4 年，将近 75 万人丧命。有人在沙利文的遗物中发现这封信，交给了他的遗孀，原件随后遗失。我们所看到的手抄稿据推测由沙利文的一位亲属誊写，目前藏于亚伯拉罕·林肯总统图书馆。

萨拉在丈夫牺牲时 24 岁，终身没有再婚。她在 80 岁时去世，与丈夫合葬在罗德岛州的普罗维登斯。

—— **信件正文**

>司令部
>克拉克营地
>华盛顿特区
>1861 年 7 月 14 日

我最爱的妻子：

任务十分紧急，我们得在数天内动身，也许就是明天。我觉得有必要给你写几句话，以免再没有机会给你写信。当你看到这封信时，我也许已经不在了。我们的行动可能要持续数日，气势如虹，但对我而言，可能要面临的是一场命悬一线的惨烈战役。"非我所愿，但这是上帝的意志。"若一定要为祖国战死沙场，我已有所觉悟。对于我所投身的事业，我没有疑虑，也不乏信心，没有丧失勇气，甚至不曾动摇。我明白，如今的美国文明仰赖政府的胜利，对于那些先前在改革中付出鲜血和努力的人，我们亏欠太多。我心甘情愿放弃此生一切欢欣，维护政府，偿还所欠。

可我亲爱的妻子，我知道我放弃了自己的欢欣，也放弃了几乎你全部的欢欣，取而代之的是忧虑与悲伤。多年来我饱尝身为孤儿的痛苦滋味，而今却只能将这种痛苦留给我年幼的孩子。当目标之旗在空中沉稳而骄傲地飘扬，我对妻儿无限的爱与我对国家的爱陷入毫无意义的激战，这是否软弱，或者可耻？

在这宁静的夏夜，我很难向你描述我的感受。两千名士兵在我身边熟睡，许多人也许在享受死前最后一次好觉。我怀疑死亡已带着它的夺命飞镖潜行到我身后，而我正与上帝、国家还有你谈心。如此押上所爱之人的幸福贸然涉险，我常常在心中细致地排查错误动机，可一个也没找到。对国家纯粹的爱，面对人民群众的誓言，以及对于荣耀那超越死亡恐惧的爱，都在召唤我，而我顺应了召唤。

萨拉，我对你的爱永无止境，这爱如同结实的锁链将我缚住，唯有全能的上帝能将之破除。我对国家的爱如同一阵强劲的风，以不可抗拒之力把我连同锁链吹向战场。与你共度的快乐时光涌上心头，我极为感谢上帝，感谢你，让我曾享受许久如此欢乐的日子。要放弃这美好的生活太难受了，要将未来的希望燃成灰烬太痛苦了。如果上帝保佑，我们或许仍能相亲相爱，看着儿子长大成人，成长为受人敬重的男子汉。我知道不该向神明祈求太多，但我听见耳边有低语声，也许是小埃德加的祈祷随风飘来，叫我安然无恙地回到所爱之人身边。若我没有回来，亲爱的萨拉，绝不要忘记我有多爱你，当我在战场上只剩最后一口气，我会轻唤你的名字。

原谅我犯下的许多过错与带给你的许多痛苦，有时我是那么没心没肺、没头没脑！若我的泪水能冲走你的每一点不快，并与世间所有不幸斗争，保护你与孩子免受伤害，那我会多么高兴！可我不能。我只能在灵界看着你，徘徊在你身边，而你则带着小宝贝与风暴搏斗，悲伤而坚忍地等待与我相见，再不分离。

可是，萨拉啊！如果故去的人能回到人世，无声无息、无影无踪地飞绕在所爱之人身边，那我会永远陪伴你左右。无论是最明亮的白昼，还是最黑暗的夜晚，无论是最快乐的境遇，还是最悲伤的时刻，我都会永远，永远在你身边。当微风拂过你的面颊，那将是我的气息；当凉风撩起你的鬓角，那将是我路过的灵魂。萨拉，不要哀悼我死了，就当我离开了，等着我，我们终会重逢。

至于我的小男孩，他们会像我一样长大，永远不知父亲的爱与关怀。

小威利还太小，记不住我，不过蓝眼睛的埃德加可能会对幼年时与我玩闹有极其模糊的印象。

　　萨拉,我心怀无限的信心,你定能以满腔母爱照顾好两个孩子,培养好他们的品格。告诉我的两位母亲,我会祈祷上帝保佑她们。

　　哦!萨拉,我在那里等着你,带着我的孩子来找我。

沙利文

PERMISSION CREDITS

Every effort has been made to trace copyright holders and obtain their permission for the use of copyright material. The publisher apologises for any errors or omissions and would begrateful if notified of any corrections that should be incorporated in future reprints or editions of this book.

LETTER 1 '11/10/58 letter to Thom Steinbeck' by John Steinbeck, copyright © 1952 by John Steinbeck, © 1969 by The Estate of John Steinbeck, © 1975 by Elaine A. Steinbeck and Robert Wallsten; from *Steinbeck: A Life in Letters* by John Steinbeck, edited by Elaine Steinbeck and Robert Wallsten. Used by permission of Viking Books, an imprint of Penguin Publishing Group, a division of Penguin Random House LLC. All rights reserved / Reproduced with permission of Curtis Brown Group Ltd, on behalf of the Estate of John Steinbeck / Copyright © 1952 by John Steinbeck Copyright © Executors of the Estate of John Steinbeck, 1969. Reprinted with permission of McIntosh & Otis, Inc. / 387 words from *A Life in Letters* by John Steinbeck (Penguin Classics, 2001). Copyright © Elaine A. Steinbeck and Robert Wallsten 1975.

LETTER 2 from *Lettres à Nelson Algren* 1947–1964 © Editions Gallimard 1997.

LETTER 3 by kind permission of Martha Freeman, granddaughter of Dorothy Freeman and editor of *Always, Rachel: The Letters of Rachel Carson and Dorothy Freeman, 1952–1964.*

LETTER 6 Copyright © 2014, The Estate of Vladimir Nabokov, used by permission of The Wylie Agency (UK) Limited / *Briefe an Véra* by Nabokov, Vladimir / Übersetzt von Tolksdorf, Ludger; Herausgegeben von Boyd, Brian; Herausgegeben von Voronina, Olga © 2017, Rowohlt Verlag GmbH, Hamburg / Lettera di Vladimir Nabokov a Vera ristampata con il permesso di Adelphi Edizioni S.p.A / © Librairie Arthème Fayard, 2017 / 837 words from *Letters to Véra* by Vladimir Nabokov. Copyright © The Estate of Vladimir Nabokov, 2014. Introduction and Appendix Two © Brian Boyd, 2014. Translator's Note © Olga Voronina, 2014 / Excerpt(s) from *Letters to Véra* by Vladimir Nabokov, edited and translated by Olga Voronina and Brian Boyd, compilation copyright © 2014 by The Estate of Vladimir Nabokov. Used by permission of Alfred A. Knopf, an imprint of the Knopf Doubleday Publishing Group, a division of Penguin Random House LLC. All rights reserved.

LETTER 7 'Paris, July 26, 1908' , from *The Gonne-Yeats Letters* 1893–1938 by Anna MacBride White and A. Norman Jeffares. Copyright © 1992 by Anna MacBride White and A. Norman Jeffares. Copyright © 1992 by Michael Yeats and Anne Yeats. Used by permission of W. W. Norton & Company, Inc. / Reprinted by kind permission of Iseult White, great-granddaughter of Maud Gonne.

LETTER 9 from *Hope, Abandoned* by Nadezhda Mandelstam. Published by Harvill Secker. Reprinted by permission of The Random House Group Limited © 2011.

LETTER 10 reprinted by permission of The Joy Harris Literary Agency, Inc.

LETTER 11 translation courtesy of Rolf Gross. With thanks to Cornelius Gross.

LETTER 13 from *War Within and Without: Diaries and Letters of Anne Morrow Lindbergh*. Copyright © 1980 by Anne Morrow Lindbergh. Reprinted by permission of Houghton Mifflin Harcourt Publishing Company. All rights reserved / Reprinted by the permission of Dunham Literary, Inc. as agent for the author. Copyright © 1980 by Anne Morrow Lindbergh.

LETTER 15 copyright © 2005 by Michelle Feynman and Carl Feynman, first published in *Perfectly Reasonable Deviations From the Beaten Track: The Letters of Richard P. Feynman* from Basic Books. Reprinted by permission of Melanie Jackson Agency, LLC.

LETTER 16 reprinted with kind permission of Emilie Blachère.

LETTER 17 a donation has been made to the ACLU in memory of the Lovings.

LETTER 20 *Just the Thing: Selected Letters of James Schuyler, 1951–1991* edited by William Corbett. Copyright © 2004 by William Corbett and the Estate of James Schuyler. Copyright © 2019 by the Estate of William Corbett and the Estate of James Schuyler. Reprinted by permission of Turtle Point Press. All rights reserved.

LETTER 22 copyright © 1936, The Estate of Laura Waugh, used by permission of The Wylie Agency (UK) Limited.

LETTER 23 copyright © The Ansel Adams Publishing Rights Trust.

LETTER 24 copyright © 2019 Banco de México Diego Rivera & Frida Kahlo Museums Trust. Av. 5 de Mayo No. 2, col. Centro, alc. Cuauhtémoc, c.p. 06000, Mexico City.

LETTER 25 Halbreich Papers, MS 2959, The New York Historical Society.

LETTER 27 reproduced by permission of the Nelson Mandela Foundation.

LETTER 28 Excerpt from *House of Cash* published by Insight Editions copyright © 2011, Cash Productions LLC.

LETTER 29 reproduced with the permission of the Vita Sackville-West Estate.

企 鹅 图 书
Penguin Books

出品人 **赵轩**
策划编辑 **郭宇萌**
营销编辑 **刘芸倩 赵亦南**
设计师 **索迪**